真正改变人生的，不是我们的命运，而是我们的态度。

诗 与 远 方 系 列

▲

生命的力量在于不顺从

培根 王尔德 林徽因 等著

时代出版传媒股份有限公司
北 京 时 代 华 文 书 局

图书在版编目（CIP）数据

生命的力量在于不顺从 / (英) 培根等著 ; 方圃译 .
-- 北京 : 北京时代华文书局 , 2016.5
（诗与远方系列）
ISBN 978-7-5699-0890-9

Ⅰ . ①生… Ⅱ . ①培… ②方… Ⅲ . ①散文集－世界 Ⅳ . ① I16

中国版本图书馆 CIP 数据核字 (2016) 第 080600 号

生命的力量在于不顺从

著　　者 | 【英】培根 等
译　　者 | 方　圃

出 版 人 | 杨红卫
选题策划 | 陈丽杰
责任编辑 | 陈丽杰　李凤琴
装帧设计 | 龙　梅　王艾迪
责任印制 | 刘　银　訾　敬

出版发行 | 时代出版传媒股份有限公司 http://www.press-mart.com
北京时代华文书局 http://www.bjsdsj.com.cn
北京市东城区安定门外大街 136 号皇城国际大厦 A 座 8 楼
邮编：100011　电话：010－64267955　64267677
印　　刷 | 北京富诚彩色印刷有限公司　010-60904806
（如发现印装质量问题，请与印刷厂联系调换）
开　　本 | 880×1230mm　1/32
印　　张 | 7.5
字　　数 | 250 千字
版　　次 | 2016 年 7 月第 1 版　2018 年 7 月第 2 次印刷
书　　号 | ISBN 978-7-5699-0890-9

定　　价 | 36.00 元

目录
CONTENTS

一
在残酷的世界里，骄傲地活着

二
生命的力量在于不顺从

三
世界不好意思一直拒绝你

四
向生活摆出喜悦的姿态

一

在残酷的世界里，骄傲地活着

我们的灵魂还须历经现实的考验和实践的锻炼，才能够坦然面对人生的艰辛历程。

适度的人生最美

蒙田

我们只可以适度明智，而不可以过分明智。世间很多美好的东西一经我们的手触碰过，就会变得格外丑陋，似乎我们的手指尖总带有某种邪气。如若我们怀着过分热切的欲望将品德收入囊中，那么结果只会使它在我们的口袋中变成种种恶行。有人这么言传过，倘若德行过了头，它也就不算德行了，真正的德行，总是恰如其分的。他们总会不屑于这样的话：

> 一旦行善积德过了头，凡人就会变成疯子，君子也被称作小人。
>
> ——贺拉斯

这句话哲理十分微妙。无论是真善或者

行义，都不可能完全掌控，真善也可过度，行义也会过头。正如一句圣徒之言："我们只可以适度明智，而不可以过分明智。"

我遇见过一位特别有名气的大人物，本想在同辈中彰显出自己更加诚恳，却不料在此过程中损害了自己所信仰的宗教的声誉。

我喜欢与温和中允的人交往。我真不知道该如何定义那些只注重表面行善的行为，即使称不上厌恶，起码是会令我无比惊讶的。在我看来，不管是独裁者波斯图缪斯，还是帕萨尼亚斯的母亲，都是非正常的秉公行义，只会让我摸不着头脑。波斯图缪斯的儿子仗着自己年轻气盛，就胆大妄为地攻击敌军，最终落得被亲生父亲处斩的下场；而这位母亲所下的第一个决定，也就是秉公行事，杀死自己的亲生儿子。我想，我是不愿意效仿或提倡这种行为的，既残暴野蛮，又得付出高昂的代价。

有两种情况都称不上命中，一是指脱靶的射手，二就是射不中靶子的射手。我们会感觉眼冒金光，什么都看不清，这就相当于你眼前突然迎来一道强光，或者你在一瞬间进入黑暗。我们可以从柏拉图的对话集里找到加里克莱的这样一段话：过分的浮夸不会给我们带来任何好处，我们应当劝诫世人不可迷信超脱，

而就此越过利弊之间的分界点。如若你可以掌握超脱的分寸，自然会赢得他人的喜欢，而一旦你沉溺于其中，就会至此染上恶习怪癖，不合群不劳作，藐视宗教法律，甚至排斥一切人间喜乐，无法打理生活，更谈不上帮助别人了，只会遭受人们的指责和怒骂。我认为这段话说得很有道理，因为，能够捆绑我们天性中的坦然，就是过分的超脱，它总是以狰狞丑陋的面孔出现在我们面前，阻碍我们的视线，以致我们常常被蒙蔽双眼，看不见前方的康庄大道。

丈夫宠爱妻子是理所当然的事，可是，

神学却要对此加以束缚和节制。在我的印象中，仿佛看过圣多马著作中有这样一条主要理由来谴责近亲结婚：倘若你一直持续这种对妻子的过分宠溺，那只会得到危险的后果。因为丈夫的爱已经抵达顶峰，可还需要再添加一份亲情，毫无疑问，这份过重的情感只会让丈夫难以保持应有的理智。

男子的道德底线全由神学和哲学来看管和规范。所做的一切事情都必须经由它来审定评判。只有无所作为、稚嫩无知的人，才会对神学和哲学肆意批判。女人们无法自然地讲出自己是如何照顾丈夫的，却可以很坦然地详述自己是如何同男孩子嬉戏玩闹的。因此，我要告诫那些对自己妻子无比眷恋的丈夫几句话：倘若你对妻子的肉体继续不加节制地迷恋，你以此获得的乐趣是上帝所不认同的；人们只会变本加厉，做出更多有违常理的事，譬如纵欲过度、放荡不羁等。就这一点而言，男子们由于自身需要而做出冲动轻浮的举止，不仅有损自己的身份，还会给妻子带来不利。我期望她们心里清楚什么是恬不知耻，起码不应是自己的丈夫。她们从不会拒绝男子的任何要求。而我在这件事情上，则一直保持自然且简单的态度。

两个人结合，步入婚姻的殿堂，这是多么严肃虔诚的事情。这也充分说明了，为何婚姻给我们带来的乐趣是不该得以放纵的，而应是端庄稳重、简单自然的。通常我们所说的婚姻的目的在于培育下一代，很多人都对此有所质疑：倘若我们并不打算生儿育女，倘若我的妻子已过生育年龄或者已经怀孕，那么我们是否还可以要求她们？柏拉图就把此等做法概括为行凶杀人。每个地方都有各自的习俗和规定，像穆斯林就极其憎恨与怀孕的妻子同房的行为，还有许多民族的人也不赞同与经期中的女子同房。我想到一个非常值得人们称颂的婚姻典范——芝诺比娅，她愿意结婚纯粹只是为了生儿育女，达到目标后她任由自己的丈夫在外拈花惹草，只要他记得在下一次同房的时间出现就好。

现在我要讲的是柏拉图借用一个毫无家底、色中饿鬼般的诗人的故事：某一天，天神朱庇特按捺不住自己的兴奋，还没等妻子上床就将她扑倒在地；享受的快感使他完全忘记了之前他在天宫与其他众神一起作出的重大决定，不仅如此，他甚至还骄傲地炫耀自己干得多么出色，简直同他以前背着女方父母初次与她媾和时一样痛快。

通常在出席晚宴时，波斯的国王们都会叫他们的后宫佳丽陪同，不过，当他们已经产生浓厚兴致，决定不醉不归时，就会先派人将他们的后妃们送回宫中，这样做的原因，只是害怕她们看见自己烂醉如泥的丑态。但是同时，他们又会叫上身份低贱的其他女人来陪酒作乐。

恩赐不可能人人都有份，乐趣也同样如此。伊巴密浓达曾经逮捕过一名流浪男子，而佩洛庇达试图请求伊巴密浓达，要求看在他的份上放过这个男子，最终却遭到了拒绝，他把这份面子卖给了同佩洛庇达有一样请求的一位少女，并扬言这份殊荣是赐给朋友而非功臣的。

索福克勒斯在陪伴军政长官署里的伯里克利时，碰巧看到窗外有一位英俊的青年路过。他情不自禁地对伯里克利喊道：“你快看呐！多么俊俏漂亮的小伙子啊！”而伯里克利回答说：“或许在别人眼里，说这样的话没有什么，可是放在军政长官身上却极为不妥。因为他不仅要保持双手洁净无染，双眼也必须保持无邪。”

罗马皇帝埃利乌斯·维鲁斯常常遭到皇后的抱怨，说他成天只会寻花问柳。他这么回答：婚姻本身就代表着虔诚与崇高，并不是一味的胡作非为，他那样做是出自真心诚意的。在以前，编写经文的作者们十分崇敬一位因为无法忍受丈夫出轨而毅然离去的妻子。总而言之，在人们的观念里，一旦做出超越道德底线的行为，就该受到人们的指责和怒骂。

实际上，人是世间最可悲的动物了。有些思想是天生的，人们总是无法满足于从始至终只享受单一的乐趣，更何况他还会想尽一切办法将它磨灭消损。人本身是特别高尚的，只要你不特意将自己弄得十足可悲。

我们在人为地将我们的命运弄得更悲惨。

——普罗佩斯

我们应该享受的乐趣，总是会被自己时而愚笨时而创新的智慧冲淡和磨灭。在此同时，它还会制造某种美妙而又令人兴奋的假象，使我们无法辨认真伪，想尽手段掩饰丑恶或对其美化。倘若让我做首领的话，我就会采取其他更简单自然的方法，说实话，那是相当神圣的，甚至可能会让我有足够强大的力量收服这种智慧。

曾经为人们治疗心理问题的那些医生，都会经过一番漫长而又复杂的研究，他们已经找不到除了体罚、折磨还有痛苦之外的其他药物或可行办法了，不过他们还是会继续引进更多制造痛苦的手段；一切可以做得理所应当，而与此同时，其行为又是那么令人恐惧，譬如禁止进食、剥夺睡眠、创造痛苦、压迫放逐、长期囚禁、笞杖等各种恶劣行为。我祈求别再发生那个叫加里奥的人所承受的那种痛苦了。他先是被流放到莱斯博斯岛。而后，罗马收到通知说他在岛上过得异常安逸，似乎这样的惩罚变成了他的享受。于是，他们又即刻改变主意，立即将他召回，把他关闭在家中，让他只能与自己的妻子接触，目的就是实现惩罚，叫他痛苦而已。做这些事情的原因，都是为了让受饿的人们能够更加身强体壮，已经可以享受鱼肉美味的人，不给他饭吃，或者只给鱼吃已经不起任何作用了。同一个道理，在另一种医学理论里，那些已经不会抗拒药品的人们，药剂对他的病情就起不到任何有利作用了。难以下咽是促使药剂实现功能的最初条件。如果让已经可以熟练操作大黄的土著人使用大黄，那会是多么浪费啊。胃痛就得依靠胃药来治疗。我们可以用非常普遍的一条规律来概括：以毒才能攻毒，任何食物都有它的克星。

古代也曾有过类似的记载。当时，人们预想用杀戮和屠杀来祭拜天地众神。这是非常普遍的做法，在宗教世界里尤其受欢迎。远在我们祖先生活的年代，阿穆拉攻占希腊科林斯城时，就曾残忍地杀害六百名希腊青年，目的只是让这些青年的尸体充当死者赎罪的祭品，以此祭奠其父的亡灵。现在探索家们所发现的新大陆，同我们已经利用的旧陆地相比，仍旧是一张纯洁无瑕的白纸。在那里，这样的做法非常盛行。有许多危言耸听的传言：他们的崇拜者一并都曾经浸透人血。他们不仅将人活活烧死，甚至还会在烧的过程中又将他们解剖，在大火中取肠挖肺。更多的人包括妇女，都会被他们活剥，血淋淋的人皮就当作他们制衣服的布料，或是为人们制作面具。其中并非全都是卑躬屈膝的人，那些已经生儿育女的长辈或是懂事的儿童，都会特别要求他们先奉献牺牲，并还要一边欢快地跳着舞唱着歌，一边奔往屠宰场。费尔南德·科尔泰就曾听墨西哥国王的使臣们说过他们是如何夸奖国王的伟大，他所拥有的三十位封臣，又是如何可以独自召集十万名步兵；他所居住的宫殿，又是世界上最奢华、最牢不可摧的；每年他都会向中西安门提供五万人作为供奉。这一点是事实，他们同个别强大的邻国挑衅，不仅仅只是为了锻炼其士兵，其最主要的目的还是给战俘提供牺牲的机会。除此之外，还有一个城镇，他们只是为了迎接上述所说的科尔泰，就毫不犹豫地屠杀五十个人。更夸张的是，被他击败的很多民族，战后都会向他表示感谢甚至祈求同盟。使者们给他带来三件贡品，说道：“崇高的主啊，倘若你是嗜血食肉的残暴天主，那么这里有五名奴仆，请你吃掉他们吧，之后我会源源不断地向您供奉；倘若你是宅心仁厚的天神，那么请你收下我们的乳香和羽毛；若你是普通常人，就请收下我们的果品与鸟儿。”

生而为人，只是经过这个世间

蒙田

针对推理与学问这两种能力，即便我们有意给予其最大的信任，我们也不足以抵达行为的极限，我们的灵魂还须历经现实的考验和实践的锻炼，才能够坦然面对人生的艰辛历程；否则的话，一旦遭遇某种突发事件，我们的灵魂就会束手无策，无以应对。因此，试图取得更大成就的哲学家们，就不甘于躲在和平的庇护下等待命运的威逼，担心万一命途多舛，在这场人生战斗中，自己不过只是个经验匮乏的新手。他们越过事物的步伐，走在前面，主动迎接挑战和困难。有些人舍弃万贯家财，甘愿过清贫的日子，有些人节衣缩食，给别人做苦工，磨炼自己吃苦的意志。甚至还有人为了避免自己的意志和灵魂被声色犬马所腐化，甘愿舍弃最宝贵的身体器官，譬如眼睛、生殖器，等等。人的一生中，需要完成的最伟大的事业，就是死亡，对此我们却做不到身体力行。经验和习惯能够给人以磨炼，要他承受得起各种各样的痛苦，贫困、耻辱、病痛或其他厄运；然而，唯独只能经历一次，每个人在经历之时也都是新手——这就是死亡。

古人十分善于利用时间，对死亡充满兴趣，甚至一度尝试去体验死亡的滋味，他们全神贯注地研究死亡的旅途究竟是何般模样；可是，我们却没能等到他们归来的踪影，没法听到他们带回来的消息：

> 没有人在冰冷的死亡中安息后还能苏醒过来。
>
> ——卢卡努

凯尤斯·朱利乌斯，这位稳重崇高的罗马贵族，在得知恶魔卡利古拉将他定为死罪后，他所表现出的那种不屈不挠着实令人折服。在刽子手即将对他行刑之时，他的某个哲学家朋友问他："凯尤斯，您能感觉到您的灵魂吗？此刻它怎么样了？它在做些什么？在想些什么？"他答道："我的头脑正专心致志地做准备，毫不分神；在这种转瞬即逝的死亡瞬间，我是否能看见灵魂出窍的那一幕，我的灵魂是否对之后的事有所感觉，若我能感知这一切，以后还有回来的可能，我会向我的朋友讲述这一切。"这个人对死亡的探讨至死都还在进行哲学研究。在这种严肃的重要关头，还能有思考其他问题的闲情逸致，将死亡作为终身课题，还有比这更勇敢、更自信、更值得骄傲的吗？

> 咽气时他还在支配自己的灵魂。
>
> ——卢卡努

但是，至今我都认为，一定有某种办法可以去体验死亡，甚至习惯死亡。我们可以尝试一些实验，即便很难做到完美且全面，但还不至于毫无用处——至少能让我们获得更多的自信，变得更加坚强。倘若无法亲自投身于死亡，至少能接近死亡，认识死亡；倘若无法进入死亡的国度，至少能看见甚至踏上通往死亡之国的大路。有人建议我们可以多观察人的睡眠状况，这的确不无道理，因为睡眠与死亡在某种程度上存有相似之处。

对我们而言，从清醒进入睡眠是多么容易！失去光明、失去自我，又有多么不在意！

让我们丧失行动力和感知觉，这正是睡眠的功能，看起来似乎是违背自然法则的，毫无任何好意，除非是自然在以此方法向我们证明它造物主的身份，让我们知道，自然是一切的创造者，生也如此，死亦如此；一旦我们被赋予生命，自然就已经准备好了我们此生之后的不朽状态，并向我们展现出来，以此避免我们产生某种恐惧心理，让我们尽早习惯这一切。

然而，就我看来，那些因遭遇突发事件而大受刺激，瞬间丧失知觉或突然心力衰竭的人，他们借此机会已经靠近了死亡的真相；在这转瞬即逝的过渡期，我们没有时间停下来细细品味，所以也不必担心有什么艰难或不快。痛苦是需要时间来感知的，死亡的瞬间如此短暂疾速，根本不容我们去感知痛苦的存在。我们唯一能体验到的，也是唯一畏惧的，就是走向死亡。

许多事物在想象中都要比现实中更夸张一些。在我的生命中，大部分时间还比较健康；甚至可以说是活力四射，精神焕发。在这种朝气蓬勃和乐观状态下，一想起疾病可能来临，我便不寒而栗。而当疾病真的降临于我，再回想起过去的那种畏惧，病痛显然就不足挂齿了。

每天我都会有这种感觉：倘若在某一个夜晚，我身处一间温暖舒适的房间里，屋外雷鸣电闪风雨交加，我就会不自觉地担忧起那些孤身野外的人；若我自己也遭遇风暴的侵袭，那我绝不愿再去其他什么地方。

我似乎并不能忍受日日夜夜独居一室，足不出户；倘若不得已要闭关一周或者一个月的时间，变得无精打采，萎靡颓废，我会发现自己在健康时对病人的同情，要远远胜于自己也在生病的时候；我在生病时，只会同情自己；在想象力的作用下，事情的本来面目会被夸大一倍。对于死亡，我希望我的想象力也能发挥这样的功能，让我不至于为此而大惊小怪，被死亡的恐惧彻底打垮；不管怎样，我们也不会让事情变得容易多少。

不记得是在第二次还是第三次宗教战争期间，有一次，我去往离家一里地之外的地方。那时法国爆发内战，我的住所正处于兵荒马乱的地带，但我并没觉得离家不远的地方会有什么危险，所以并没有特意携带什么武器披肩挂甲，只是顺手牵上一匹不算精壮但却容易驾驭的马。然而，回来的路上却发生了一点状况，我的马儿并不好对付，完全让我束手无策；我有一位身强力壮的仆人，他骑着一匹深棕色的骏马，没想那马儿更是生性暴烈，横冲直撞，完全不听他使唤；这个仆人与马儿较上劲来，硬要逞强，冲出同伴的队伍，策马朝我这条小路疾奔过来，如巨人一般直将我和我的小马儿撞倒在地；我整个人飞出去十几步远，身上皮开肉绽，整个人仰面朝天昏死过去，我的马儿也被撞翻，倒在地上呻吟不已；我手中的宝剑也飞出十步以外，皮带也已断裂，浑身上下全无知觉，无法动弹，同一桩木头没什么两样。

这是我有生以来第一次昏迷，也是唯一一次。我的同伴想尽办法试图让我醒过来，结果都没能成功，就以为我死了，花费不少力气把我从半里外抱回了家。

就这样，整整两个小时，我被人当成死人来看待；后来在路途中，我开始呼吸，身体也蠕动起来；我的胃部淤积了太多的血，所以体力被调动起来，压迫我吐了一口血。他们把我扶起来，就这样在路上来回折腾，我整整吐了一罐子的鲜血。之后，我的生命力也稍稍有所恢复。但是至此往后，我内心最原始的情感，似乎并不像之前那样接近生命，反倒离死亡要近得多。

因为灵魂尚未找到回归之路，惊慌失措，飘忽不定。

——塔索

这一回忆是如此深刻，铭记于心，我似乎已经触摸到了死亡的脸孔，认识到死亡的真相，往后再碰见它，便不再觉得太突兀和生疏。当我接触死亡的目光时，我的视线开始变得暗淡、模糊、虚弱，只能辨别出光线来，除此以外别无他物。

眼睛忽而张开，忽而紧闭，人站在睡眠与清醒的半道上。

——塔索

灵魂会与肉体做出同样的反应。我瞥见自己满身鲜血，大氅上也全是我吐的鲜血。我最先想到的是我的脑袋中了枪；的确，在我身边有几个人打出了几枪。我感觉到我的嘴唇已经让我的灵魂命悬一线；我缓慢地闭上双眼，仿佛正帮着那股力量将生命推出我的体外，懒散地享受着生命的逝去。你会感觉到灵魂与想象飘浮空中，同肉体其他部分一样纤弱温柔，实际上并没有痛苦难忍的感觉，反倒让你有种缓缓入睡的舒适感。

人在愈渐衰弱的弥留之际也处于这种状态当中，对这一点我毫无怀疑；我还认为，平日里我们认为他们的身体痛不欲生或灵魂极度不安，并因此对他们心生怜悯，这也是没什么道理可言的。无论埃蒂纳·德·拉·博艾迪怎么认为，我的观点也向来如此，绝不改变。我们亲眼目睹有的人昏倒在地，不省人事，已经濒临死亡的边缘，或者常年卧病在床，或者突发中风，或者年迈衰竭，

> 经常一名病人抵不住病魔的暴力，像遭受雷殛，在我们的眼前倒下；他口吐白沫，痛苦呻吟，四肢痉搐；他谵妄，肌肉抽挛，挣扎，喘气，在全身乱颤中衰竭。
>
> ——卢克莱修

或者头部遭遇重创，我们亲耳听到他们的痛苦呻吟，唉声叹气，哀怨刺耳，认为这些声音和举止正是他们身体的反应；我也会认为，不管是他们的灵魂还是躯体，都已陷入了昏迷之中。

他活着，但是他本人意识不到自己活着。

——奥维德

我无法相信，当一个人的身体和感知遭受如此重创，受到这样的摧残后，他的灵魂中自我感觉的能量还能保留下来；我也无法相信，他们的理智还能幸存下来，还有机会去感知痛苦，感知如此悲惨的境遇，所以，在我看来，他们没什么值得同情的。

人的灵魂痛苦至极，却又无从宣泄无以表达，世上还有什么事比这更让人恐惧、更觉得难受吗？这正如我说过的，那些跪在行刑台上被割了舌头的人，一脸严肃且呆滞的表情，又只能沉默不语，这简直就是一幅最形象的死亡之图。这些可怜的囚犯们，被这个时代最凶狠残暴的刽子手士兵反复折磨，忍受五花八门的残酷苦刑，屈服于骇人听闻的威逼敲诈，而与此同时，出于他们那种身份和地位的顾虑，对受尽苦难的痛楚却无从表露，所有的思想也没有表达的出口。

诗人却创造了一些神，给那些慢慢死去的人说出心里的想法，遵照神的旨意，我把这根神圣的头发带给普路托，我让你摆脱你的躯体。

——维吉尔

逼供者贴着他们的耳朵大呼大叫，声音震耳欲聋；他们不得已做出几声断断续续的回答，发出一些短促的声音，被逼做出类似于招供的动作，这都不足以表明他们仍旧拥有生命，至少不能说是拥有完整的生命。当我们站在昏睡的入口处，四周一切都宛若梦中，看不见也听不清，所有的画面朦朦胧胧，声音缥缈不定，在无意中喃喃自语，仿佛徘徊在灵魂的边缘；而且，别人在耳边说的最后几句话，即便是做了回答，那也多半是胡诌乱语，真正有意义的没两句。

此刻即便我有了一些经验，但我也坚信，那时我所做出的判断是错误的。第一，昏倒的那一刻我拼命用指甲撕烂我的贴身衣（紧身衣和盔甲早已凌乱不堪），记忆中似乎也并无丝毫疼痛感，因为做出的许多肢体动作并非源于大脑发出的指令。

> 半死不活时，手指痉挛抽动，抓住了那把剑。
>
> ——维吉尔

跌倒的人在着地前必会先伸出双臂，这是本性使然，是一种本能反应，表明人的肢体动作有时并不处于理性的控制之下，而自动自发地配合一致。

> 也有报告声称，战场上被刀剑斩断的四肢，散落在地仍旧抽动几下，一切发生得如此迅速，以至于灵魂和躯体尚未来得及感知痛苦和伤害。
>
> ——卢克莱修

我的胃里慢慢地充斥着淤血，双手不自觉地轻抚着腹部，不受任何理性控制，像在挠痒一般。有些动物丧命之后，我们还能看见它们的肌肉在抽动或伸缩，甚至在人身上也不例外。我想每个人都有过这种经历：有的身体部分偶尔会不受控制的抖动、举起或放下。这些动作不能被称为我们真正的举动，它只是流于表面，处在理性的范围之外；动作之所以能成为我们真正的举动，就必须要让思想和行为协调一致，全身心地投入进去；睡眠期间手脚感受到的痛，就不能称之为我们的痛。

我还未抵达家中，我从马背上摔下来的消息就已先我而去。离家不远处的地方，我看见我的家人奔过来迎接我，一个个惊慌失措，大呼小叫的。后来他们告诉我，我不仅仅回答了别人的问话，看到妻子步履踉跄地在崎岖不平的小路上朝我奔过来，还说要给她备一匹马。这些看起来好像是头脑清醒的人才会顾虑到的，而我压根就算不上清醒。实际上，这些想法是飘忽的，是无意识的，并非是我的理性发出的指令，而是由耳目的感知觉自发引起的。我并不清楚自己发生了什么，从哪里来，去往哪里，也没办法仔细斟酌别人的话语。这像是出于习惯而做出的举动，只是一种由感觉而引发的轻微反应；宛如在梦境中，只留下一抹浅浅的、水一般的痕迹，灵魂发挥的作用微乎其微。

不过，实际上我的心情并没有丝毫的跌宕起伏，我不为自己惋惜，也不因他人难过；这是一种疲惫至极的状态，一种极度的虚弱，但不掺杂一丝痛苦。我的房屋映入我的眼帘，但我不认识它。别人放下我，让我躺在床上时，我感觉到一种极为甜蜜的舒适感，感到我开始了一次最美好的休息；这些可怜人儿把我折磨得够累，我就这样被他们抬得走了不近的路，一路上坑坑洼洼，他们轮番换了两三次手，才大费周章地把我给折腾回来。

他们不断给我送上许多药丸，我却通通拒绝，我固执地认为头部遭受了致命创伤。说心里话，我觉得这种死法还是比较幸福的；因为身体的极度虚弱让我感知不到一切痛苦，而理智的受损也让我不用对任何事情斟酌判断。我任由自己飘飘然，在迷糊的意志下怡然自得地晃荡，觉得没有任何状态比现在这样更轻柔、更舒服了。两三小时后，我的力气渐渐恢复，

> 我的灵魂也回到了我的身体内，终于，我感觉活力重新回到我的身上。
>
> ——奥维德

我又活了过来，而此时，我立刻回想到从马背上坠落的痛苦，记起跌倒在地、四肢挫裂时的苦不堪言，而接下来的几个夜晚，我都被这种感觉折磨得难以入睡，仿佛又死了一次，但这一次却没能死得那么舒适宁静，现在回想起来，那些辗转反侧的画面还历历在目。

我并不想忘记这一切，对这桩事故的回忆就是我所能记得的最后一件事了；在我的意识清醒之前，我从哪儿来，到哪儿去，事情是何时发生的，等等，这些都要别人不断地重复提醒我；而关于我是如何摔下马的，他们将事实隐藏了起来，另外编了个故事，为了包庇那个撞倒我的倒霉鬼。然而，就在第二天，我的意识渐渐清醒，记忆开始恢复，我的脑海里渐渐浮起了那匹马撞倒我时的情形（我看见那匹马儿紧跟着自己撞过来，以为自己已经

没命了，这种想法突如而至，以至根本没时间去感受害怕），这就仿佛一道闪电突然击中了我，整个灵魂都会为之一颤，好像我来自于另一个世界一样。

不过，就算我记起这件事也没什么意义，它不能说明什么问题，只是让我从中获得自己想要的体会。实际上，在我看来，要想习惯死亡，就必须最大限度地靠近死亡。普林尼说过，每个人都能从自己身上学习到某些收获，他只需要就近观察。这里我们并不是在谈我的学识，而是说我的研究；这并非是给别人讲了什么道理，而是让我自己学到了某些知识。

我写下了我学到的这些知识，我想，我不会被人们责难。某些知识对我有用，我想对别人可能也会有用。我也没有破坏或践踏什么东西，我只是将自己的东西利用起来。倘若我是在做蠢事，那么唯一伤害到的也就只是我自己，毫不影响他人的利益。因为，我心中仅存的一点念想和奢望就在于此，事情已经过去了，也无须在意后果。我们都清楚，古人中曾在这方面摸索探究过的也寥寥无几。除了他们的名字以外，我们对其他也一无所知，无法判断我这次的体验是否与他们的相似。自那时起，也没有人再追随他们的脚步而去。细想一番，捕捉飘忽不定的灵魂，探出漆黑一片的心灵空间，抓取闪烁不断的细微瞬间，这种尝试的确比表面上看起来复杂得多，也棘手得多。当然，从某一方面来说，这也是种不同寻常的新颖的消遣方式，让我们从平日里忙碌不已的工作中解脱——的确，甚至让我们放下迫切要完成的任务，先关注起它来。有几年的时间，我所研究和检验的对象只是我自己，我的目标也只在于我自己的思想；倘若我研究别的事，

那也只是为了在自己身上验证——更精确地说，是在自己的心中检验它。我认为这种做法不会错，就像在许多不进行比较就无法彰显出其作用的学识中，我将自己的习得完全展示出来，即便此刻取得的成果并不能让我满意。与所有其他的描述比起来，自我描述明显要更困难，不过也更具意义。一个人必须要对着镜子仔细端详，梳妆打扮一番，才肯出门。我反复地自我描绘，也不断地修饰装点自己。炫耀总是与自我吹嘘结伴而行，难免令人反感生厌，出于习惯，高声谈论自己历来都被视为一种恶习，遭人鄙夷。

给孩子擤鼻涕，结果却拧坏了他的鼻子。怕犯错，却犯下罪恶。

在我看来，这一药剂的弊端远远大于益处。然而，若你在人前谈论自己，必定会被视为自大狂妄；对我来说，以我的总体计划为依据，我不会隐瞒自己内心的一种病态品质，也不会掩饰我在工作中和生活习惯上存在的这种缺点。不管怎样，如果要我谈谈自己的看法，我会说，因为喝醉了酒而指责酒的不是，这是不合理的行为。

有这样一条规则——人只会对好的东西毫不节制——这仅仅只针对酗酒。拿绳子来是套牛用的，我们知道的那些滔滔不绝的圣贤，那些神学家和哲人，他们从不会用以捆绑自己。

即便很难说清楚我属于哪类人，但我也不需要绳子。他们只是尚未谈及自己，只要时机成熟，他们就会毫不迟疑地将自己展

现于众目睽睽之下。苏格拉底有没有谈什么超过谈他自己？他教导学生谈论的内容，有没有超过谈论他们自己？当然没有，他们并不谈论书本上的知识，而只探讨他们灵魂深处的骚动和心灵暗藏的本质。我们在上帝和牧师面前，虔诚地谈论自己，反省和忏悔自己的行为，而新教徒则当着众人的面开诚布公地谈论自己。不过，也会有人说，他们只谈及自己犯过的错误。我们的谈论没有任何限制，美德也会谈，因为即便是再高贵的品质也会有缺憾，也需要反省忏悔。

我的工作就在于生活，它是我追求的艺术。谁阻止我凭借自己的感觉、习惯和经验去谈论生活，仿佛他在要求一位建筑师听从邻居的建议，而不是凭借自己的见解和知识来谈论建筑一样。倘若谈论自己就代表自大，那么西塞罗和霍尔坦西厄斯，又都虚心地称对方的辩才比自己要好，这又作何解释？

或许他们希望我不要大谈空话，而是拿出自己的行动和作品来做出证明。但我所描述的，主要是一种虚无的非实物——我的思想——无形无体，这很难付诸于言语的描绘，更别说用行动表达了。许多圣贤之人在生命中并没留下什么丰功伟绩，而我留下的显著事迹，就在于我对命运的探讨要多于我对自己的谈论。它们所证明的是各自的价值，而并非是我的价值，即便偶然起到些作用，那也只是个暂时的特例。我将自己赤裸裸地展现给众人：这纯粹就是一具骷髅，血管静脉根根分明，肌肉骨骼一目了然，每一个器官都在它对应的位置上。咳嗽一下，对应的那部分身体就做出反应，心跳和面色苍白又对应着各自的身体部位，模模糊糊地显示出来。

我并非要在这里描写我的动作举止，我所要说的，是我自身以及我的本质。我认为，在谈论自己时要严谨慎重，提供论证时要认真仔细，无论褒扬或贬低，都应同等对待。我认为自己有智慧、心地善良，我就会大声说出来；故意少说，或者不说，这并非是谦虚，而是愚蠢。亚里士多德说过，低估自己是怯懦和吝啬。虚伪成不了美德；真实从来不是错误。高估自己，并不总意味着自负，多半还是出于愚蠢。过分沾沾自喜，不恰当地自怜自恋，按我的看法，才是这种恶习的本质。

如何改善自恋这个恶习？最好的办法莫过于反其道而行，意

思就是，说话尽量不要谈论到自己身上来，更不要想到自己。思维中的骄傲是不可估量的，语言的作用其实十分微不足道。有些人会认为，独自过日子无异于孤芳自赏，自思自量也是自恋的行为。这样的评价其实还很中肯。但这只是针对那些对自己要求甚低，靠整日的幻想和懒散而满足的人，还有事后聪明的人与自我膨胀和向往空中楼阁的人：总而言之，自恋就是把自己看作不同于自己的第三者。

如果有谁陶醉在自我中无法自拔，又贬低别人，那么请让他把眼光放到几千年之前的历史上，那些杰出又优秀的英雄豪杰会让他羞得无地自容。倘若他把自己当作英勇善战的人，那就让他读读两位西庇阿的传记和那些军队与民族英雄的历史，他会觉得自己离英勇相差甚远。一个人不是只拥有一种品质就能够让人踌躇满志，他还必须同时记得自身的弱点和缺陷，最后还不要忘记人生只是一场虚妄的梦。

只有苏格拉底曾经严肃探究过上帝的教诲——人要自知。只有通过这样的研究才会发现，能接受自己对自己的批评和贬低，才称得上是贤人。也只有勇敢地剖析自己，才能算作自知。

每个人都是自己命运的设计师

培根

毋庸置疑，外在的偶然因素会影响人的命运，如相貌、时机、别人的死亡和施展才能的机会等，但人的命运最终还是掌控在自己的手中。所以，有个诗人说："每一个人都是他命运的设计师。"

上述的外在原因如果总是经常出现的话，这便是某个人所做的愚蠢事情，因为它只是造成了另外一个人的时运。众所周知，最快捷的成功就是趁着他人的出错而获得的成功，"蛇必须吞噬其他的蛇才能成长为巨龙"。有些优点的确显而易见，值得每个知晓它的人的称赞；但是一个人隐蔽的长处或者一个人表现自己的有效方式，往往才是一个人获胜的关键法宝。这些方式无法进行准确的描述，更不能相互传播，也许西班牙字眼Disemboltura可以大概探个究竟：只要一个人没有褊狭的观念，并且待人处世的态度端正，他头脑中前进的方向才能和命运之轮的前进方向一致，并同时起步。

正是由于这个原因，李维在形容加图时虽然说：“这个人的体魄强健，心智成熟，因此无论他出生在哪个家庭都会有较好的时运。”但是，他最后还是发现这个人具有“灵性”。所以，只要一个人睁大眼睛仔细观察，就能看到命运女神的踪影；虽然命运女神的一双眼睛被蒙住，但是她还是有自己的行踪的。

命运的轨迹就像是天上的银河，无数的星星聚集在一起组成了银河，但是看上去银河不是分散的星星点点，而是一条完整的光带；同样的道理，促使一个人有较好的时运也是由于他身上的小小的优点或长处，或者说是一些好的习惯和能力。

人们对于其中的奥妙是想象不到的，但是意大利人却可以洞察其中的天机。当意大利人谈论一个几乎很少出差错的幸运儿时，他们一般会说一句："这个人倒是会几分装聋作哑。"而人人都熟知的，常常使人走运的习性不外乎两种：一是少几分真诚朴素，二是会几分装聋作哑。由此可以看出，那些最为忠君爱国的人很少走运，而且永远不会走运，因为一个人连自我都不考虑的话，他必然不会只顾自己的利益。很容易就会得到的幸运，仅仅造就了一批鲁莽汉和冒险家；但是经过千辛万苦才换来的幸运，却可以成就杰出的人才。

幸运就其本身来说，是应该受到人们的尊敬和崇尚的，即便仅仅是出于尊重她的两个女儿——“自信”和“声誉”。自信一直留存在幸运的人心中，而声誉则保留在知晓幸运者的那些人的心里。智慧的人为了防止他人嫉妒自己的优点，总是习惯于把自己的长处归因于上帝和命运之神，这样他们就可以最大限度地发挥他们的优势了。

另外，神灵的保佑也使得他们的不凡之处得以展现。于是，恺撒曾经在暴风雨中对舵工说：“你的船不仅载着我，还载着我的运气。”所以，苏拉宁可把自己称为“幸运的苏拉”而不是“伟大的苏拉”。并且历代的人们都观察到，凡是过分把自己的成就归因于自身的聪明才智的人，最后的结局都很不幸。

据史书记载，雅典将军提谟修斯每次做政府述职时，总是喜欢说一句：“这次胜利绝不是仅仅依靠运气。”结果后来他没有建过更伟大的功勋。毋庸置疑，有些人的运气如同荷马的诗歌那样，而荷马的诗歌比其他人的都要顺畅；普鲁塔克在把阿偈西劳和伊巴密浓达的运气与提摩列昂的运气作比较的时候，就使用了这个比喻；人与人的运气不同，这是一件正常的事情，但是运气也取决于每个人自身，这一点也是明白无误的。

成熟比成功更重要

桃乐丝

我的小女儿唐娜·戴尔刚学会走路的时候，有一天，她搬了一把小椅子到厨房里，想垫在脚下爬到冰箱上去，我赶紧跑过去，准备扶住她，但已来不及，她连椅子一起翻倒在地。我抱起她安慰，她却狠狠地踢了一脚椅子，很生气地骂道：“破椅子，都怨你！”

实际上这样的事经常发生，幼儿比较任性，明明自己出错却喜欢迁怒于没有生命的东西或是一旁无辜的人，甚至认为这很正常。

可是，如果成年人也像幼儿一样，那可就会引来各种烦恼。古往今来，把自己失败的原因归结于他人的事屡见不鲜。就连亚当也把自己的过错怨在夏娃身上："是这个女人引诱了我，才使我食了禁果。"

成熟的首要前提是勇于承担责任。我们早已超过了跌倒后责怪椅子的年龄，应该直面现实，对自己负完全责任。

当然，这样做也许并不容易。责怪我们的父母、领导、长辈、境遇、老公、爱妻、儿女则相对容易，若有可能的话，我们甚至会责怪祖先、国家，此外还有一个最好的借口，责怪命运的不公正。

不够成熟的人总能为他们的失误或者懒惰找到借口——的确如此，所有借口都来自他们自身之外——他们的童年过于荒疏；他们的家人过于贫寒或是太富裕，他们被管的太过严苛或者缺乏管教；他们丧失了受教育的机会；他们身体不好、饱受疾病的摧残，等等。

他（她）们埋怨老婆（老公）不了解自己，认为命运之神捉弄了自己，他的运气太坏，仿佛整个世界都在与他找别扭。其实他们是为了开脱自己而编造借口，而不是直面困难，解决问题。

有的父母会因为子女的记忆力太糟糕而责怪他们，但这还算微末之事。从脱发这样的问题到现实中遭遇的各种挫折，把一切都归咎于父母，似乎成了某些人的最佳借口。有一位女孩，她曾谈到母亲对自己生活的影响力：她刚一出生，父亲就去世了，母亲就成了年轻的寡妇，但是母亲没有被生活击倒，而是通过自己的奋斗创立了一家企业，后来成为一名成功的实业家。在这样的母亲庇荫之下，她享尽呵护，备受疼爱，而且接受了良好的高等教育。但是，这也成了她的借口，因为她要为此承受巨大压力——那就是她母亲的成功！

这个女孩说，她从青少年时期就生活在阴影里，因为她觉得自己是在与母亲“竞争”。她的母亲却对此完全无法理解：“多年来，我努力地工作，就是为了让她拥有良好的学习和生活条件，不料却成了她的包袱！”如果换成我，我一定要给着女孩好好教训一顿，可惜我不是她的母亲。乔治·华盛顿也出身于良好的家境，受过扎实的教育，但他却成了美国的第一任总统。我们从未听说过家庭给了他包袱。

我们再来看一个相反的例子，亚伯拉罕·林肯出身贫困的家庭，但是他却超越了环境的影响。林肯从不埋怨他人，1864年，他在发表的一份声明中说：“我要一对美国人民，对主，对历史，乃至对上帝一负责。”这是人类所发出的言论中，最勇毅的声明。若不能以此胆魄为上帝和人类担当，我们就不能说自己成熟。

为了躲避自己的错误、责任，在大多数情况下，人们都选择去看心理医生，躺在舒服的长椅上，谈自己变成这种状态的原委。当然了，这样做是十分奢侈的。

如果有人告诉你：“你所有的问题都源自童年时对保姆的依赖，或者母亲对你控制力过强，又或者父亲对你管教太严。”你听了一定觉得说到了心坎上，肯定会去请心理医生治疗一当然，除非你不担忧巨额的诊疗费，你就一生都赖此生活吧。总之，这是一个极好的借口。

精神病学似乎为成年人的推卸责任找到了合理借口，而人们恰好需要这样的解释，这样所有问题都可以归咎与外部的原因了。

早期热衷于占星术的人们经常以星座为借口—“我的星座简直糟透了，”或“我的星座对我的生活没有帮助”—16世纪的时候，这种借口曾经十分流行。

剧作家莎士比亚早就看透了这种把戏，他在《恺撒大帝》中借卡西阿斯的嘴巴宣布：“我亲爱的布鲁特斯，我们的星座并无问题，是我们自己使自己卑微。”

英国历史上的都铎王朝有一个奇怪的传统，王子犯了错不能直接接受惩罚，而是由“替罪男孩”当替身受过。少年时代的王子不管如何顽劣，都不能接受鞭笞，于是花钱雇来一个小孩，代王子受过。不论是责骂或鞭笞，王子都不会损一丝一毫。当时，有不少人渴望获得这一身份，因为薪酬极为丰厚，还有进入上流社会的机遇和可能。

王子的替罪羊这一传统早已消失在了历史的深处。但不成熟的人们，仍然企图寻找一个心理上的替罪羊。如果他们没有找到合适目标，就会迁怒于无辜的人，乃至归罪于社会，说现代生活是病态的，给不了安全感，或者说这个世界太过混乱，总之，他总会给自己一个借口，来安慰自己。前一段时间，我和一个颇有艺术造诣的朋友去参观一个艺术展出。在一幅前卫作品面前，无知的我对一幅作品擅加评论说“我的女儿才3岁，也画的比这好看多了。假若这能算是艺术，那每个人都可以当艺术家”。

我的朋友反驳我说：“这描绘的是精神方面的困扰！反映的是原子时代人们内心的不安和痛苦！”

是啊，任何失去了才气的画家都可以拿原子时代当借口。

但有一点可以确认：如果原子时代带给人类的是美好愿景和成就，而非反面的影响，那么一个坚定而成熟的人，一定会对自己的行为负责，这才是时代的英雄。

一个渴求成熟的人，必须铭记：为自己的行为承担责任，勇于担当。不找为自己找借口！

只生欢喜不生愁

林语堂

这里让我们来讨论这种所谓心灵和精神的高等欢乐，究竟它们和我们的情感(不是智能)有什么关系，它们的关系达到何种程度。谈到这件事，我们就不期然提出以下的问题，这些有别于高等欢乐的下等情感欢乐，究竟是什么东西?它们是否是同样东西的一部分，生于情感而又回到情感?它们是否和情感是难于分解的?当我们研究到这些较高的心灵欢乐时——文学、艺术、宗教、哲学——我们发现，智能比之情感和感觉实占着较为无关重要的地位。一幅美丽的图画，它的功用，只是使我们回想到一片真的风景或是一个美丽可喜的面貌，因而生出一种情欲的欢乐，此外可还有什么作用?文学也只是重作一幅人生的图画，表现它的环境和色彩，表现草地的香味和都市中沟渠的臭味，此外，可还有什么作用呢?我们大抵都有一个观念，认为一部小说必须要描写出真实的角色和真实的情感，才近于真正文学的水准。如果一本书的描写脱离了人生，或只把人生做了一个平淡的解剖，那便不是真正的文学。一本书越有真实的人性，也便越是好文学。如果一本小说只淡淡地分析一下，而不把人生的甜酸苦辣描写出来，怎能引得起读者的兴趣呢?

关于其他的东西，例如诗歌，那不过是渲染着情感的真理；音乐，是无字的情感；宗教，是由幻象中表现的智慧。诗歌之基于音韵及真理的情感，正如绘画之基于色觉及视觉一样。音乐全然是情感，决用不着那种运用智能所必须的语言。音乐不但能表现牛铃，繁闹的鱼市场以及战场上的声响，并且能表现花朵的美妙，波浪的澎湃起伏，月光的幽丽恬静。但如果要越出感觉的界线，而想表达一个哲学的观念时，我们可说它是没落的，它是一个没落世界的产物。

那么宗教的衰落可也就是由于理智的本身而开始?桑塔耶纳曾说，宗教衰落是由于推理过多：“不幸，这种宗教历来已不是在幻象中所表现出来的智慧，而只变成了推理过多的迷信。”宗教的衰落，就是由于迂腐太过，以及由于信条、公式、学说和谢罪文的树立所致。如果要使我们的信仰变成愈加正当合理的东西，一定以为我们是对的，那么我们将愈加变得不虔敬了。各种宗教相信只有它自己所发现的才是惟一的真理，因之，都成为褊狭的宗派，也就是这个道理。我们认为愈是信仰我们是合理的，便愈发变得褊狭，这就是目下一切宗教派别的同一现象。因此宗教慢慢地和私人生活上最可憎的偏执仄狭、自私的心理发生了关系。这种宗教造成了个人的自私，不但卑视其他的宗教，并且使宗教的信仰变成了他自己和上帝的私人契约。在这契约下，乙方颂赞着甲方，终日地在唱着圣诗，祷祝甲方的名字，而甲方为报答起见，也将要拿较给旁人更多的福降给乙方，较给别家更多的福降给乙方的家庭。因此我们所看见的那些按时上礼拜堂最“虔诚”的老太太，都是自私自利的。结果，那种自以为正当的意识，那种自以为发现了惟一的真理，便代替了产生宗教的更微妙的情感了。

我觉得艺术、诗歌和宗教的存在，其目的，是辅助我们恢复新鲜的视觉，恢复富于感情的吸引力，和一种更健全的人生意识。我们正需要它们，因为当我们上了年纪的时候，我们的感觉将逐渐麻木，对于痛苦、冤屈和残酷的情感将变为冷淡，我们的人生想象，也因过于注意冷酷和琐碎的现实生活而变成弯曲了。现在幸亏还有几个大诗人和艺术家，他们的那种敏锐的感觉，那种美妙的情感反应，和那种新奇的想象还没有失掉，还可以行使他们的天职来维持我们道德上的良知，好比拿一面镜子来照我们已经迟钝了的想象，使枯竭的神经兴奋起来。这样说来，艺术应该是一种讽刺文学，对我们麻木了的情感、死气沉沉的思想和不自然的生活下的一种警告。它教我们在矫饰的世界里保持着朴实真挚。它应该可以使我们回复到健康幸福的生活，使我们从过分智能活动所产生的昏热中恢复过来。它应该可以使我们的感觉重变敏锐，重使我们的理性和本有的天性发生联系，恢复原有的本性，把那脱离生活中已毁坏的部分收集起来，重变成一个整体。如果我们在世界里有了知识而不能了解，有了批评而不能欣赏，有了美而没有爱，有了真理而缺少热情，有了公义而缺乏慈悲，有了礼貌而一无温暖的心，这种世界将成为一个多么可怜的世界啊!

讲到哲学这种运用着卓越的、精神的东西，其危险比我们失去生命本身的感觉更大。我晓得这种智能上的乐趣包括写一个很长的数学方程式，或是去发现宇宙间的一个大体系这类事情。这种发现或许是一切智能欢乐中的最单纯的欢乐，但是在我看来，反不如去吃一顿丰盛的餐食来得开心。第一，这种意念本身可说就是一个畸形产物，即是我们心智活动的副产物，它确实令人愉快，因为它是不费钱的，但无论如何它对我们总好像在生活上不大需要。这种智能上的喜悦，充其量，也只是和猜着了纵横字谜(Crossword puzzle)的喜悦一样;第二，哲学家在这时大都是会欺瞒自己，和这个抽象的完美发生爱情，幻想这世界上有一样比现实本身所能证明的更为伟大合理的完美。这好比是我们把星星画成五个尖角一样讹误——我们把一切东西都幻化成公式的、矫揉造作的、太简单化的东西了。只要我们不太过分，这种对于完善的东西所生的喜悦倒也是好的，不过我们也要晓得许许多多没有发现这个简单样式的图样的人们，他们也是照常快乐的。我们没有这种东西也能生活。所以我情愿同一个黑种的女佣人谈话，而不愿和一位数学大家谈话。她的言语比较具体，笑也笑得较有生气。和她谈话至少对于人类天性可以增长一些知识。我是唯物主义者，所以在无论什么时候总是喜欢猪肉而不喜欢诗歌，宁愿放弃一宗哲学，而获得一片拌着好酱汁的焦黄松脆的精肉。

我们只有摆脱思想而生活，才能脱离这种哲学的酷热和恶浊的空气，进而重获得一些孩子的新鲜自然的真见识。真正的哲学家对于一个孩子或甚至是一只关在笼里的小狮子，应该会觉得汗颜的。试看大自然所赋予那只小狮子的掌爪、肌肉、美丽的皮毛、竖直的耳朵、光亮的眼睛、敏捷的动作，和嬉戏的感觉，这些是多么完美啊!自然完美的东西有时被硬弄成不完美的东西，真正的哲学家对之应该觉得惭愧，好好一个人要去戴着眼镜，胃口不好，常常感到身心不安，一无人生的乐趣，他们对这些也应该觉得惭愧。我们不能从他们那里得到什么好处，因为他所说的话大都是于我们无关痛痒的。只有那种和诗歌相应的哲学，只有那种使我们对大自然和人类天性更有真切见识的哲学，于我们才有用处。

无论哪一种人生哲学，它必须以我们天赋本能的和谐为基础。太过于理想主义的哲学家，不久之后，大自然本身也将证明他的错误。依据中国儒家的观念，对于人类尊严的最高理想，是顺着自然而生活，结果达到功参造化之境。这便是孔子的孙儿在《中庸》一书里所倡导的学说。

天命之谓性，率性之谓道儒家的思想里也有浓厚的道家素质，这或许是受了道家思想的影响。但平常人是不大注意到的。无论怎样，这一段确是儒家四书中的文字。此外《论语》中也可以援引同类的文字。修道之谓教。……喜怒哀乐之未发，谓之中;发而皆中节，谓之和。中也者，天下之大本也;和也者，天下之达道也。致中和，天地位焉，万物育焉。

自诚明，谓之性;自明诚，谓之教;诚则明矣。惟天下至诚，为能尽其性;能尽其性，则能尽人之性;能尽人之性，则能尽物之性;能尽物之性，则可以赞天地之化育;可以赞天地之化育，则可以与天地参矣。

只有认真做自己，才能拥有自由的灵魂

徐志摩

照群众行为看起来，中国人是最残忍的民族。

照个人行为看起来，中国人大多数是最无耻的个人。慈悲的真义是感觉人类应感觉的感觉，和有胆量来表现内动的同情。

中国人只会在杀人场上听小热昏，决不会在法庭上贺喜判决无罪的刑犯；只想把洁白的人齐拉入混浊的水里，不会原谅拿人格的头颅去撞开地狱门的牺牲精神。只是“幸灾乐祸”、“投井下石”，不会冒一点子险去分担他人为正义而奋斗的负担。

从前在历史上，我们似乎听见过有什么义呀侠呀，什么当仁不让，见义勇为的榜样呀，气节呀，廉洁呀，等等。如今呢，只听见神圣的职业者接受蜜甜的“冰炭敬”，磕拜寿祝福的响头，到处只见拍卖人格“贱卖灵魂”的招贴。这是革命最彰明的成绩，这是华族民国最动人的广告！

“无理想的民族必亡”，是一句不刊的真言。我们目前的社会政治走的只是卑污苟且的路，最不能容许的是理想，因为理想好比一面大镜子，若然摆在面前，一定照出魑魅魍魉的丑迹。

莎士比亚的丑鬼卡立朋（Caliban）有时在海水里照出自己的尊容，总是老羞成怒的。

所以每次有理想主义的行为或人格出现，这卑污苟且的社会一定不能忍；不是拳打脚踢，也总是冷嘲热讽，总要把那三闾大夫硬推入汨罗江底，他们方才放心。

我们从前是儒教国，所以从前理想人格的标准是智仁勇。

现在不知道变成了什么国了，但目前最普通人格的通性，明明是愚暗残忍懦怯，正得一个反面。但是真理正义是永生不灭的圣火；也许有时遭被蒙盖掩翳罢了。大多数的人一天二十四点钟的时间内，何尝没有一刹那清明之气的回复？但是谁有胆量来想他自己的想，感觉他内动的感觉，表现他正义的冲动呢？

蔡元培所以是个南边人说的“戆大”，愚不可及的一个书呆子，卑污苟且社会里的一个最不合时宜的理想者。所以他的话是没有人能懂的；他的行为是极少数人——如真有——敢表同情的；他的主张，他的理想，尤其是一盆飞旺的炭火，大家怕炙手，如何敢去抓呢？

“小人知进而不知退，”

“不忍为同流合污之苟安，”

卡立朋，通译凯列班，莎士比亚戏剧《暴风雨》中的人物，一个野蛮而丑怪的奴隶。

三闾大夫，即战国时期楚国的大诗人屈原。

“不合作主义，”

“为保持人格起见……”

“生平仅知是非公道，从不以人为单位。”

这些话有多少人能懂，有多少人敢懂?

这样的一个理想者，非失败不可；因为理想者总是失败的。

若然理想胜利，那就是卑污苟且的社会政治失败——那是一个过于奢侈的希望了。有知识有胆量能感觉的男女同志，应该认明此番风潮是个道德问题；随便彭允彝京津各报如何淆感，如何谣传，如何去牵涉政党，总不能淹没这风潮里面一点子理想的火星。要保全这点子小小的火星不灭，是我们的责任，是我们良心上的负担；我们应该积极同情这番拿人格头颅去撞开地狱门的精神。

［备注：文中对中国人的批评是针对民国初期这一特定历史时期的社会现象发表的激烈言论。］

我想飞，飞离这尘世的喧嚣

徐志摩

假如这时候窗子外有雪——街上，城墙上，屋脊上，都是雪，胡同口一家屋檐下偎着一个戴黑兜帽的巡警，半拢着睡眼，看棉团似的雪花在半空中跳着玩……假如这夜是一个深极了的啊，不是壁上挂钟的时针指示给我们看的深夜，这深就好比是一个山洞的深，一个往下钻螺旋形的山洞的深……

假如我能有这样一个深夜，它那无底的阴森捻起我遍体的毫管；再能有窗子外不住往下筛的雪，筛淡了远近间飏动的市谣；筛泯了在泥道上挣扎的车轮；筛灭了脑壳中不妥协的潜流……

我要那深，我要那静。那在树荫浓密处躲着的夜鹰轻易不敢在天光还在照亮时出来睁眼。思想：它也得等。

青天里有一点子黑的。正冲着太阳耀眼，望不真，你把手遮着眼，对着那两株树缝里瞧，黑的，有榧子来大，不，有桃子来大——嘿，又移着往西了！

我们吃了中饭出来到海边去。（这是英国康槐尔极南的一角，三面是大西洋。）勖丽丽的叫响从我们的脚底下匀匀地往上颤，齐着腰，到了肩高，过了头顶，高入了云，高出了云。啊，你能不能把一种急震的乐音想象成一阵光明的细雨，从蓝天里冲着这平铺着青绿的地面不住地下？不，那雨点都是跳舞的小脚，安琪儿的。云雀们也吃过了饭，离开了它们卑微的地巢飞往高处做工去。上帝给它们的工作，替上帝做的工作。瞧着，这儿一只，那边又起了两！一起就冲着天顶飞，小翅膀动活的多快活，圆圆的，不踌躇地飞，——它们就认识青天。一起就开口唱，小嗓子动活的多快活，一颗颗小精圆珠子直往外唾，亮亮地唾，脆脆地唾，——它们赞美的是青天。瞧着，这飞得多高，有豆子大，有芝麻大，黑刺刺的一屑，直顶着无底的天顶细细地摇，——这全看不见了，影子都没了！但这光明的细雨还是不住地下着……

飞。“其翼若垂天之云……背负苍天，而莫之夭阏者”，那不容易见着。我们镇上东关厢外有一座黄泥山，山顶上有一座七层的塔，塔尖顶着天。塔院里常常打钟，钟声响动时，那在太阳西晒的时候多，一枝艳艳的大红花贴在西山的鬓边回照着塔山上的云彩——钟声响动时，绕着塔顶尖，摩着塔顶天，穿着塔顶云，有一只两只，有时三只四只有时五只六只蜷着爪往地面瞧的“饿老鹰”，撑开了它们灰苍苍的大翅膀没挂恋似的在盘旋，在半空中浮着，在晚风中泅着，仿佛是按着塔院钟的波荡来练习圆舞似的。那是我做孩子时的“大鹏”。有时好天抬头不见一瓣云的时候听着哓忧忧的叫响，我们就知道那是宝塔上的饿老鹰寻食吃来了，这一想象半天里秃顶圆睛的英雄，我们背上的小翅膀骨上就仿佛豁出了一锉锉铁刷似的羽毛，摇起来呼呼响的，只一摆就冲出了书房门，钻入了玳瑁镶边的白云里玩儿去，谁耐烦站在先生书桌前晃着身子背早上的多难背的书！啊，飞！不是那在树枝上矮矮地跳着的麻雀儿的飞；不是那凑天黑从堂匾后背冲出来赶蚊子吃的蝙蝠的飞；也不是那软尾巴软嗓子做窠在堂檐上的燕子的飞。要飞就得满天飞，风拦不住云挡不住的飞，一翅膀就跳过一座山头，影子下来遮得阴二十亩稻田的飞，到天晚飞倦了就来绕着那塔顶尖顺着风向打圆圈做梦……听说饿老鹰会抓小鸡！

飞。人们原来都是会飞的。天使们有翅膀，会飞，我们初来时也有翅膀，会飞。我们最初来就是飞了来的，有的做完了事还是飞了去，他们是可羡慕的。但大多数人是忘了飞的，有的翅膀上掉了毛不长再也飞不起来，有的翅膀叫胶水给胶住了再也拉不开，有的羽毛叫人给修短了像鸽子似的只会在地上跳，有的拿背上一对翅膀上当铺去典钱使过了期再也赎不回……真的，我们一过了做孩子的日子就掉了飞的本领。但没了翅膀或是翅膀坏了不能用是一件可怕的事。因为你再也飞不回去，你蹲在地上呆望着飞不上去的天，看旁人有福气的一程一程的在青云里逍遥，那多可怜。而且翅膀又不比是你脚上的鞋，穿烂了可以再问妈要一双去，翅膀可不成，折了一根毛就是一根，没法给补的。还有，单顾着你翅膀也还不定规到时候能飞，你这身子要是不谨慎养太肥了，翅膀力量小再也拖不起，也是一样难不是？一对小翅膀驮不起一个胖肚子，那情形多可笑！到时候你听人家高声地招呼说，朋友，回去吧，趁这天还有紫色的光，你听他们的翅膀在半空中沙沙地摇响，朵朵的春云跳过来拥着他们的肩背，望着最光明的来处翩翩的，冉冉的，轻烟似的化出了你的视域，像云雀似的只留下一泻光明的骤雨——“Thou art unseenbut yet I hear thy shrill delight”——那你，独自在泥涂里淹着，够多难受，够多懊恼，够多寒碜！趁早留神你的翅膀，朋友？

是人没有不想飞的。老是在这地面上爬着够多厌烦，不说别的。飞出这圈子，飞出这圈子！到云端里去，到云端里去！那个心里不成天千百遍地这么想？飞上天空去浮着，看地球这弹丸在天空里滚着，从陆地看到海，从海再看回陆地。凌空去看一个明白——这才是做人的趣味，做人的权威，做人的交代。这皮囊要是太重挪不动，就掷了它，可能的话，飞出这圈子，飞出这圈子！

人类初发明用石器的时候，已经想长翅膀。想飞。原人洞壁上画的四不像，它的背上掮着翅膀；拿着弓箭赶野兽的，他那肩背上也给安了翅膀。小爱神是有一对粉嫩的肉翅的。挨开拉斯（Icarus）是人类飞行史里第一个英雄，第一次牺牲。安琪儿（那是理想化的人）第一个标记是帮助他们飞行的翅膀。那也有沿革——你看西洋画上的表现。最初像是一对小精致的令旗，蝴蝶似的粘在安琪儿们的背上，像真的，不灵动的。渐渐的翅膀长大了，地位安准了，毛羽丰满了。画图上的天使们长上了真的可能的翅膀。人类初次实现了翅膀的观念，彻悟了飞行的意义。挨开拉斯闪不死的灵魂，回来投生又投生。人类最大的使命，是制造翅膀；最大的成功是飞！理想的极度，想象的止境，从人到神！诗是翅膀上出世的；哲理是在空中盘旋的。飞：超脱一切，笼盖一切，扫荡一切，吞吐一切。

你上那边山峰顶上试去，要是渡不到这边山峰上，你就得到这万丈的深渊里去找你的葬身地！“这人形的鸟会有一天试他第一次的飞行，给这世界惊骇，使所有的著作赞美，给他所从来的栖息处永久的光荣。”啊达文謇！

但是飞？自从挨开拉斯以来，人类的工作是制造翅膀，还是束缚翅膀？这翅膀，承上了文明的重量，还能飞吗？都是飞了来的，还都能飞了回去吗？钳住了，烙住了，压住了——这人形的鸟会有试他第一次飞行的一天吗？

同时天上那一点子黑的已经迫近在我的头顶，形成了一架鸟形的机器，忽地机沿一侧，一球光直往下注，硼的一声炸响——炸碎了我在飞行中的幻想，青天里平添了几堆破碎的浮云。

把暗淡的日子过成妙趣横生的诗意时光

叶圣陶

今天清早进公园，闻到一阵清香，就往荷花池边跑。荷花已经开了不少了。荷叶挨挨挤挤的，像一个个大圆盘，碧绿的面，淡绿的底。白荷花在这些大圆盘之间冒出来。有的才展开两三片花瓣儿。有的花瓣儿全都展开了，露出嫩黄色的小莲蓬。有的还是花骨朵儿，看起来饱胀得马上要破裂似的。

这么多的白荷花，有姿势完全相同的吗？没有，一朵

有一朵的姿势。看看这一朵，很美，看看那一朵，也很美，都可以画写生画。我家隔壁张家挂着四条齐白石老先生的画，全是荷花，墨笔画的。我数过，四条总共画了十五朵，朵朵不一样，朵朵都好看，如果把眼前这一池的荷叶荷花看作一大幅活的画，那画家的本领比齐白石老先生更大了。那画家是谁呢……

我忽然觉得自己仿佛就是一朵荷花。一身雪白的衣裳，透着清香。阳光照着我，我解开衣裳，敞着胸膛，舒坦极了。一阵风吹来，我就迎风舞蹈，雪白的衣裳随风飘动。不光是我一朵，一池的荷花都在舞蹈呢，这不就像电影《天鹅湖》里许多天鹅齐舞

蹈的场面吗？风过了，我停止舞蹈，静静地站在那儿。蜻蜓飞过来，告诉我清早飞行的快乐。小鱼在下边游过，告诉我昨夜做的好梦……

周行、李平他们在池对岸喊我，我才记起我是我，我不是荷花。

忽然觉得自己仿佛是另外一种东西，这种情形以前也有过。有一天早上，在学校里看牵牛花，朵朵都有饭碗大，那紫色鲜明极了，镶上一道白边儿，更显得好看。我看得出了神，觉得自己仿佛就是一朵牵牛花，朝着可爱的阳光，仰起圆圆的笑脸。还有一回，在公园里看金鱼，看得出了神，觉得自己仿佛就是一条金鱼。胸鳍像小扇子，轻轻地扇着，大尾巴比绸子还要柔软，慢慢地摆动。水里没有一点儿声音，静极了，静极了……

我觉得这种情形是诗的材料，可以拿来作诗。作诗，我要试试看——当然还要好好地想。

舅妈带表哥进城，要在我家住三天。今天早晨，我跟表哥聊天，谈起我想作诗，谈起我认为可以作诗的材料。我说："要是问我什么叫诗，我一点儿也说不上来。可是我要试作诗。作成以后，看它像诗不像诗。"

表哥高兴地说："你也这么想，真是不约而同。这几天我也在想呢。诗不一定要诗人作，咱们学生也不妨试作。不懂得什么叫诗，没关系，作几回就懂得了。我已经动手作了，还没完成，只作了四行。要不要念给你听听？"

我说："我要听，你念吧。"

表哥就念了：

三棵老银杏

村子里三棵老银杏，
年纪比我爷爷的爷爷还大。
我没见过爷爷的爷爷，
只看见老银杏年年发新芽。

我问："你说的是娘娘庙里的那三棵？"

表哥说："除了那三棵，还有哪三棵？"

我问：“年纪比外公的爷爷还大，多大岁数呢？”

表哥说：“我也说不清楚。只听我爷爷说，他爷爷小时候，那三棵银杏已经是大树了，他爷爷还常常跟小朋友拿叶子当小扇子玩呢。”

我问：“那三棵老银杏怎么样？你的诗预备怎么样作下去呢？”

表哥说：“还没想停当呢，不妨给你说一说大意。我的诗不光是说那三棵老银杏。”

我问：“还要说些什么呢？”

表哥说：“我们村子里种了千把棵小树，你是看见了的，村子四周围，家家的门前和院子里，差不多全种通了。那些小树长得真快，去年清明节前后种的，到现在才十几个月，都高过房檐七八尺了。再过三四年，我们那村子会成什么景象，想也想得出。除了深秋和冬天，整个村子就是个密密丛丛的树林子，房子全藏在里头。晴朗的日子，村子里随时随地都有树阴，就是射下来的阳光，也像带点儿绿色似的，叫人感觉舒畅。”

我想着些什么，正要开口，表哥拍拍我的肩膀，抢着说：“不光是我们那村子，别的村子也像我们村子一样，去年都种了许多树

呢。你想想看，三四年以后，人在道上走，只见近处远处，这边那边，一个个全是密密丛丛的树林子，怎么认得清哪个是哪村？”

我说：“尽管一个个村子都成树林子，我一望就能认出你们集庆村，保证错不了。你们村子有特别的标记，老高的三棵银杏树。”

表哥又重重地拍一下我的肩膀，笑着说：“你说的正是我的意思！所以我的诗一开头就说三棵老银杏。”

二
生命的力量在于不顺从

促使一个人有较好的时运也是由于他身上的小小的优点或长处，或者说是一些好的习惯和能力。

愿你成为最好的女子

尼采

女人应该在自己独立的基础上去开导男人，以此让他们看穿“女人的本来面目”，这是一种进步，却也是欧洲最广泛化最低劣的进步。因为，必须要把那些白痴的女人科学和自我剖析的图谋，统统暴露在光天化日之下！由于害羞的原因，女人可以编织很多借口；在女人身上，便是不切实际、浅薄无知、平庸俗气、琐屑骄矜、放肆无礼、轻浮的特征，人们研究最多的只是女人和儿童之间的关系。截至目前，究其根本，女人是因为害怕男人，导致被赶回家门，更被套上干活的笼头。命真苦！假如女人有胆子将“身上的永恒无聊”表露出来；假如女人将自己的智慧和技巧，即妩媚、游乐、宽心、快乐、轻浮等荒废；如果女人毫无原则地把自己对惬意欲望的伶俐雅致置之不理，如今，女人们扯开了嗓门，在神圣的阿里斯托芬那里恐吓于人！这让医生觉得她们是病态的人。但就算这样，女人不就是想从男人那里得到些东西。不过女人就要为此研究科学，成为科学界的人了，这难道不是以最恶劣的审美角度为出发点的吗？庆幸的是，对于男人的东西、本事已经解释得很清楚，从而，人们便“不用对别人说了”。

最后，人们就能够对所有女人任意谈论“女人”的任何东西了，并且还保有一种善意的怀疑，女人应不应该解释自身呢？答案是肯定的……要是一个女人并没有为此对自己精心装扮，显而易见，我认为，女人永远有打扮自己的本能，不是吗？那么，这么说，女人就是想激起对自己的恐惧，没准女人就是要成为主宰，从而达到自己的统治目的。但是，真理并不是女人的目标，他们之间毫无瓜葛！一开始，世界上任何东西都不会使女人感到比真理更加陌生、更矛盾、更敌意重重，而女人最伟大的技艺是欺骗，最大的本事则是肉体和美貌。

我们必须得承认，男人们：我们对这种技艺和拥有这种本事的女人十分敬重和喜爱，因为，我们就是为女人而感到困惑的男人，我们喜欢与轻松相伴，所以，我们这种困惑和深沉好像是一种白痴行径。最后，我想问一个问题：会不会有一天，女人自动认识到自己脑中本有深沉以及心中自有正义？大致说来，“截至目前，女人最多只是自取其辱，但是她们又根本承认，这难道不是事实吗？”男人的想法是，女人不要因为启蒙而不断地丢脸，这与照顾男人和关怀女人是一样的。当教会颁布命令时，女人在教会事务中一定要保持沉默！拿破仑曾经心悦诚服地向斯塔尔夫人说：女人应该在政治事务中保持沉默，这大概是为了更好地利用女人，我认为，作为正派女人的朋友，今天拿破仑要向女人高呼：和自己有关的事女人都该保持沉默！

软弱的种属，除了在我们这个时代，大概不会再有受到男人的礼遇的其他时代，这是民主主义嗜好和审美的特征之一，就像对老人的不恭敬。可是这种礼遇马上被滥用到各个领域，这有什么可诧异的呢？人们要让自己越来越丰富，越丰富越好，同时人们还在学习如何提出要求，但是最终，人们发现这种礼遇的关键之处好像发生了病变。于是，人们宁愿选择为了权利而厮杀，因为，这本来就是斗争。够了！女人已经完全把羞耻之心置之度外。要是我们迅速靠向女人，那么女人的审美也会消失殆尽。虽然女人已经忘记了对男人的恐惧，但是，这种“忘记恐惧的”女人，她最能体现女性特征的本能也随之同归于尽。如果说，男人不在自我评价中变成熟，那么女人就会大胆地出来闹事。

确实如此，这理解起来也不难；但是这样一来，让人难以理解的却是女人在蜕变。到了现在，这样的事情真的发生了。但是我们千万不要上当！所有被工业精神战胜了的地方——军事和贵族精神已经一败涂地，为了成为工人，女人此刻正在所需的经济和法律上的独立奋斗着；因为作为工人的女人，必须站在逐渐形成的现代社会的入口。所以，如果女人霸占了新的权力，争取成为它的“主人”，并且在她们的旗帜上写下女人和进步，这便以令人瞠目结舌的明确性实现了倒行逆施，这是因为，女人杀回来了。自法国大革命以来，随着女人们在权力和要求上的与日俱增，女人对欧洲的影响力逐渐渺小了。但是“女性解放”，由于它是女人自身——不只是由于男性的愚蠢——所需要和支持的，所以在女性本能日益增加的弱化和钝化过程中，它就成了最能体现这种变化的奇特象征。在这场解放运动中，它也表示了“愚蠢”，而且还是一种类似于阳性的愚蠢。

一个受过良好教育，并且聪明的女人，应该一点儿也不会为此羞愧。人们有种最基本的在土地上能够稳操胜券的嗅觉，这种女人已经丧失了；对原生技艺的练习也逐渐松懈；人们还不许她们走在男人的前面，甚至希望她们可以“进入书里”。在那里，人们可以使自己进入到一种有修养、优雅、狡狯、恭敬、屈从的氛围；男人有一种信仰，即在女人面前表现成隐蔽，本质与理想不符，这应以无耻的道德加以抑制；对某种具有永恒性和必然性的女性，也会加以信仰；女人可以一字一句、没完没了地劝说男人，但男人对待女人，却应该像对待温柔驯服、野性桀骜、好玩有趣的宠物似的，拥有她、照顾她、关怀她、珍爱她；动作笨拙缓慢地，怒气冲冲地，搜集努力制度和农奴制度。到目前为止，这是女人在社会制度中天生的并现实拥有的东西，不过好像奴隶社会中就有两种反证，没有成为一种高级文化的条件，也没有成为其提高的条件。

如果说这不是女性本能的破裂，也不是女性化，那么这一切作何解释？当然，男人这种有学问的笨驴，大多拥有十分荒唐、败坏的女性友人，他们劝告女人，你们这么非女性化，什么行为愚蠢就去模仿什么吧。另一方面，欧洲的“男人”，欧洲的“男人味”都得了这种病——他们想要把女人拖过去接受“普及教育”，或是直接拖过去读报纸，让他们成为政治化的女人。人们从女人中搜索着，希望能出现自由主义者和文化人：好像不会有女人对既深邃又不信神的男人抱有虔诚之心，大概它并非某种完全的叛逆者或者可笑的东西。人们常常用最病态、最危险的音乐，败坏自己的神经——是我们德意志最新式的音乐，并使这种音乐每天都为其最初以及最后的职业所生出的孩子疯狂地不堪重负；人们甚至希望有更多的“练习”，并且正如人们所说，利用文化把“软弱的种属”强化，历史好像正在被一群急于教导别人的人修习和弱化，也就是意志力的弱化、分解和生病，这些往往都是互相依附的。

世界上最有影响力的那些女性，当然，拿破仑的母亲也在此列，她们最该感谢这种意志力，而不是教师！使她们真正拥有了权力，以及凌驾于男人之上的优势。在女人身上注入的那些尊敬，以及大量的令人恐惧的东西，就是女人的天性，比男人的更加“自然”的天性。女人具有随机应变的特长，这种特长纯粹、凶狠、狡猾、阴险，而且她们手套下面竟然还隐藏着猛兽般的利爪；女人的天真都是自私的，不仅不该去教育，而且还捉摸不定，内在的狂野、欲望、美德、淫荡……在这种无比恐惧的状态下，面对这种美丽而阴险的“女人”所产生的同情，已经明确地把女人视为某种弱小的动物，从而展现出不能缺爱、不能受苦、娇滴滴，但是这种同情注定是令人失望的。

到现在，男人们仍然以恐惧和同情对待女人，总是毫无理智地一脚踏进让人痛彻心肺的悲剧中，因为他们认为悲剧可以使人兴奋。这到底是怎么了？这样一来，女人应该是走到尽头了啊？难道是女人的非魔术化在奏效？女人那种无聊化暴露出来了，对不对？啊，欧洲，欧洲啊！人们对这种长着角的动物并不陌生，因为对你而言，它充满了吸引力。但你没有意识到长久以来它带给你的危险！对于那则古老的寓言来说，或许有一天真的会成为“史实”。到时候，没准会有种又大又乱的愚蠢降临到你的头上，然后把你砸进土里！在愚蠢之下，上帝定不藏身于此！这里不存在上帝，只存在一种“观念”，而且是一种现代的观念！……

如果世上不再有猫

郑振铎

我家养了好几次猫，结局总是失踪或死亡。三妹是最喜欢猫的，她常在课后回家时，逗着猫玩。有一次，从隔壁要了一只新生的猫来。花白的毛，很活泼，如带着泥土的白雪球似的，常在廊前太阳光里滚来滚去。三妹常常取了一条红带，或一根绳子，在它面前来回地拖摇着，它便扑过来抢，又扑过去抢。我坐在藤椅上看着它们，可以微笑着消耗过一二小时的光阴，那时太阳光暖暖地照着，心上感着生命的新鲜与快乐。后来这只猫不知怎地忽然消瘦了，也不肯吃东西，光泽的毛也污涩了，终日躺在厅上的椅下，不肯出来。三妹想着种种方法逗它，它都不理会。我们都很替它忧郁。三妹特地买了一个很小很小的铜铃，用红绫带穿了，挂在它颈下，但只显得不相称，它只是毫无生意的，懒惰的，郁闷的躺着。有一天中午，我从编译所回来，三妹很难过地说道："哥哥，小猫死了！"

我心里也感着一缕的酸辛，可怜这两月来相伴的小侣！当时只得安慰着三妹道："不要紧，我再向别处要一只来给你。"

隔了几天，二妹从虹口舅舅家里回来，她道，舅舅那里有三四只小猫，很有趣，正要送给人家。三妹便怂恿着她去拿一只来。礼拜天，母亲回来了，却带了一只浑身黄色的小猫同来。立刻三妹一部分的注意，又被这只黄色小猫吸引去了。这只小猫较第一只更有趣、更活泼。它在园中乱跑，又会爬树，有时蝴蝶安详地飞过时，它也会扑过去捉。它似乎太活泼了，一点也不怕生人，有时由树上跃到墙上，又跑到街上，在那里晒太阳。我们都很为它提心吊胆，一天都要"小猫呢？小猫呢？"查问得好几次。每次总要寻找了一回，方才寻到。三妹常指它笑着骂道："你这小猫呀，要被乞丐捉去后才不会乱跑呢！"我回家吃中饭，总看见它坐在铁门外边，一见我进门，便飞也似地跑进去了。饭后的娱乐，是看它在爬树。隐身在阳光隐约里的绿叶中，好像在等待着要捉捕什么似的。把它抱了下来。一放手，又极快地爬上去了。过了二三个月，它会捉鼠了。有一次，居然捉到一只很肥大的鼠，自此，夜间便不再听见讨厌的吱吱的声了。

某一日清晨，我起床来，披了衣下楼，没有看见小猫，在小园里找了一遍，也不见。心里便有些亡失的预警。

"三妹，小猫呢？"

她慌忙地跑下楼来，答道："我刚才也寻了一遍，没有看见。"

家里的人都忙乱的在寻找，但终于不见。

李嫂道："我一早起来开门，还见它在厅上。烧饭时，才不见了它。"

大家都不高兴，好像亡失了一个亲爱的同伴，连向来不大喜欢它的张婶也说：“可惜，可惜，这样好的一只小猫。”

我心里还有一线希望，以为它偶然跑到远处去，也许会认得归途的。

午饭时，张婶诉说道：“刚才遇到隔壁周家的丫头，她说，早上看见我家的小猫在门外，被一个过路的人捉去了。”

于是这个亡失证实了。三妹很不高兴地咕噜着道：“他们看见了，为什么不出来阻止？他们明晓得它是我家的！”

我也怅然的，愤恨的，在诅骂着那个不知名的夺去我们所爱的东西的人。

自此，我家好久不养猫。

冬天的早晨，门口蜷伏着一只很可怜的小猫。毛色是花白，但并不好看，又很瘦。它伏着不去。我们如不取来留养，至少也要为冬寒与饥饿所杀。张婶把它拾了进来，每天给它饭吃。但大家都不大喜欢它，它不活泼，也不像别的小猫之喜欢顽游，好像是具着天生的忧郁性似的，连三妹那样爱猫的，对于它也不加注意。如此的，过了几个月，它在我家仍是一只若有若无的动物。它渐渐的肥胖了，但仍不活泼。大家在廊前晒太阳闲谈着时，它也常来蜷伏在母亲或三妹的足下。三妹有时也逗着它玩，但没有对于前几只小猫那样感兴趣。有一天，它因夜里冷，钻到火炉底下去，毛被烧脱好几块，更觉得难看了。

春天来了，它成了一只壮猫了，却仍不改它的忧郁性，也不去捉鼠，终日懒惰的伏着，吃得胖胖的。

这时，妻买了一对黄色的芙蓉鸟来，挂在廊前，叫得很好听。妻常常叮嘱着张婶换水，加鸟粮，洗刷笼子。那只花白猫对于这一对黄鸟，似乎也特别注意，常常跳在桌上，对鸟笼凝望着。

妻道："张婶，留心猫，它会吃鸟呢。"

张婶便跑来把猫捉了去。隔一会，它又跳上桌子对鸟笼凝望着了。

一天，我下楼时，听见张婶在叫道："鸟死了一只，一条腿被咬去了，笼板上都是血。是什么东西把它咬死的？"

我匆匆跑下去看，果然一只鸟是死了，羽毛松散着，好像它曾与它的敌人挣扎了许久。

我很愤怒，叫道："一定是猫，一定是猫！"于是立刻便去找它。

妻听见了，也匆匆地跑下来，看了死鸟，很难过，便道："不是这猫咬死的还有谁？它常常对鸟笼望着，我早就叫张婶要小心了。张婶！你为什么不小心？"

张婶默默无言，不能有什么话来辩护。

于是猫的罪状证实了。大家都去找这可厌的猫，想给它以一顿惩戒。找了半天，却没找到。我以为它真是"畏罪潜逃"了。

三妹在楼上叫道："猫在这里了。"

它躺在露台板上晒太阳，态度很安详，嘴里好像还在吃着什么。我想，它一定是在吃着这可怜的鸟的腿了，一时怒气冲天，拿起楼门旁倚着的一根木棒，追过去打了一下。它很悲楚地叫了一声"咪呜！"便逃到屋瓦上了。

我心里还愤愤的，以为惩戒得还没有快意。

隔了几天，李嫂在楼下叫道：“猫，猫？又来吃鸟了。”同时我看见一只黑猫飞快地逃过露台，嘴里衔着一只黄鸟。我开始觉得我是错了！

我心里十分的难过，真的，我的良心受伤了，我没有判断明白，便妄下断语，冤苦了一只不能说话辩诉的动物。想到它的无抵抗的逃避，益使我感到我的暴怒，我的虐待，都是针，刺我的良心的针！

我很想补救我的过失，但它是不能说话的，我将怎样对它表白我的误解呢？

两个月后，我们的猫忽然死在邻家的屋脊上。我对于它的亡失，比以前的两只猫的亡失，更难过得多。

我永无改正我的过失的机会了！

自此，我家永不养猫。

生命的力量在于不顺从

爱默生

最最起码，他们的愤怒是大胆果敢的，洋溢着强劲的男子汉气概，而这是一个民族、一个国家前进的最基本动力。

当人们看到所有的困难在这种战无不胜的健康面前消失得无影无踪，就像正午的冰雪在阳光照射下一定融化一样的时候，他们便开始关注这种有益于人类的健康了。在一个国家中，在国会里，在报纸上，天天听着危言耸听、唯恐天下不乱者的叫嚣，看着各种帮派肆无忌惮、放荡堕落，——帮派利益猖獗到了这种地步：各种帮派都怒气冲冲，指天画地，无视一切后果；他们一手拿着选票，一手提着枪支，下定决心，不顾死活，一条道路走到黑；——当一个胆小怯弱而又缺乏主见的人看到这一切、听到这一切时，他就会轻易地被自己的耳朵和眼睛所蒙蔽和欺骗，相信这个国家的黄金时光已经一去不复返了。这时候，他会竭尽全力使自己坚强起来，从而面对、抵抗即将到来的毁灭。然而，当他一次又一次地以相同的信念预言这一切之后，在政府并没有做出一丝一毫的让步之后，他却发现事情并非像他所想象得那样：在这件事情上发挥巨大作用的力量使得我们的政治显得无足轻重且无能为力。

个人的力量、自由意志和自然资源激发出了每一位公民的每一种能力，而且使它们发挥到极致。此时此刻，我们是如此的意气风发，斗志昂扬，我们就像那些生命力旺盛的树木，无论冰雪、虱子、老鼠和蛀虫，都无法阻止我们的生长、发挥。因此，我们也不会受到那群寄生在我们国家财富之上的肥胖的蠹虫之害。巨大的肉体滋养了巨大的寄生虫，而憎恨，由疾病所导致的憎恨，却证实了身体的力量。在古希腊平民身上所表现出来的力量曾得到这样的评价：民治政府的弊病往往以放大的方式显示出来，也就是说，要显得比实际上的情况严重得多，可是，它所唤醒的精神力量和能量完全可以弥补这些弊病。

一个由水手、村民、农夫和技术工人组成的民族，具有粗犷、敏捷的风格，这种风格自有其自身的优势。力量可以教育骄奢淫逸的权贵。我们的人民总是在引用英国的标准，在这样的标准的衡量之下，他们使自己矮小起来。西部一位享有盛誉的律师曾经对我说过，他真希望这个国家颁布一条法律：在法庭上，只要谁引用一本英国的法律书籍，就立刻判处他死刑。因为，他依据自己的经验发现，我们对英国先例的尊重不仅没有对我们有什么大的帮助，而且简直可以说是贻害匪浅。譬如说贸易，仅就“贸易”这个词语而言，它本身就只具有一种英国的意义，而且是一种被英国狭窄而危急的经验所限定的意义。什么河流贸易，铁路贸易，还有那些鬼才敢担保不会出现的气球贸易，肯定都会给早已千疮百孔的英国海军部添上一个美国分支。

只要我们的人民还生活在英国标准的阴影之下，他们就会失去自己，失去自己力量的主权。相反，就让那些粗犷的骑手们——那些衣着随便、不拘小节的立法者们，——那些印第安纳人、伊利诺斯人、密执安人、威斯康星人——或者随便什么由讲求实际的阿肯色人、俄勒冈人或犹他人派到华盛顿去代表他们的愤怒与贪欲的半是演说家半是刺客的人，——就让这些人随心所欲地纵情驰骋吧！如果是这样，那么，对于领土和公共土地的安排，对于呐喊着的大多数德国人、爱尔兰人和成千上万土生土长的本地人进行平衡和遏制的必要性，最终一定会赐予我们——这些猎杀野牛的行家里手——以敏捷、灵巧、智慧、权威和庄严的面容。

人民的本能是合情合理的。对于那些辉格党人，那些受到国家的尊敬而被推举为执政者的善良的辉格党人，对他们在与墨西哥、西班牙、英国或与那些我们自己不满者打交道的技巧方面，从来就没有寄予过什么过高的期望，对于他们，人们所寄予的期望，还不如人们对某些违法乱纪者所寄予的期望高。譬如杰斐逊或者杰克逊，他们先是征服了自己的政府，然后又以同样的天赋和毅力去征服外国人。那些反对波尔克先生的墨西哥战争政策的人们，并没有什么更加高明的见解，他们不过是一些从政治立场而言可以这么说和做的人而已。他们并不是韦伯斯特，而是本顿和卡尔霍恩。

没错，这种力量并不是什么温和的东西，它们没有在柔软的绸缎中间包裹得严严实实。这是一种私刑的力量，是士兵和海盗的力量。通常说来，它会欺侮那些天性平和忠贞不贰的人们。但是，我们也不可以忘记，它也有自己的解毒剂。请注意，下面的这些话就是我的观点：通常，形形色色的力量，那些善良的力量和恶劣的力量，那些心灵的力量和身体的健康，那些献祭的狂喜和淫荡的愤懑……这一切二元对立的东西总是彼此拥抱着出现在人们之间。

同类的元素总是彼此是对方的身体和影子，只不过，有时候这些因素显而易见，有时候那些因素又熠熠生辉；有时候，是这些在前台高声歌唱，而过些时候，它们又潜藏在后台默无声息；过去曾经是事物的表面，现在，则是作为同样行之有效的基础部分……我们应该知道，干旱越是持久，空气中就越是水气充足；球越是迅速地落向太阳，它飞速逃离太阳的力量就越大。

在人类的道德方面，疯狂的自由会滋生铁一样坚硬的良心。天性特别冲动的人必然才思敏捷，智慧超人，而且总会闻名遐迩。在政治上，民主党人的儿子将会成为辉格党，而父亲身上的红色共和主义，不过是造化的阵痛：他必将为自己的下一代生产一位令人忍无可忍的暴君。如果换一个角度来看，事情就明白多了：胆怯、狭隘的保守主义必定会令孩子们恶心、唾弃，驱使他们到激进主义的烈火中去呼吸一口新鲜的空气。

那些最富有这种粗俗的能量的人们，——也就是那些在县里或者州里的秘密政党会议上遭受两面夹击的“喜欢斗殴闹事的家伙们”——他们当然有令人瞠目结舌的恶习，但他们身上也有诸如勇气和力量之类的健康的秉性。尽管有时候他们凶狠、野蛮、无耻，但是，有时候，他们却坦诚、直率，表里如

一、憎恨虚伪。

我们总是抱怨我们的政治被坏家伙们篡夺去了，但是，有点矛盾的是，大家似乎又一致认为：慈悲的牧师和品德高尚的圣贤并不是国会的合适人选。政治是一种自身带有毒素的职业，是一把双刃剑，犹如那些有毒的手工艺品。当权之人没有信念，他也不需要信念。然而，不论是为了哪一种信念，哪一种目的，我们都可以找到廉价的当权者；——而且，如果这不过是选择一个彬彬有礼的人做我们的领导者，还是选择一个强健有力的人做我们的领导者的问题的话，那么我的回答是清楚的：我倾向于后者！这些果敢剽悍的人，这些印第安纳人和伊利诺斯人，的确要比那些整天愁眉苦脸、哭哭啼啼的反对派要有用得多。最最起码，他们的愤怒是大胆果敢的，洋溢着强劲的男子汉气概，而这是一个民族、一个国家前进的最基本动力。

通过人民无比一致的宣言，我们看到了人民容忍罪恶的肚量是多么的庞大：他们可以容忍多少罪恶啊！然而，他们一步一步地前进着。他们对那些高贵威严的阁下们、新英格兰的总督们、尊敬的法官们和新英格兰的立法者们所作的预料果然毫厘不爽。众所周知，总督们一本正经的训示和州议会的决议不过表达了一种似是而非的愤慨而已，而且，随着事情一步步的发展，这种貌似公允的愤慨总会把自己真实的想法裸露在阳光之下的。

在贸易方面，这种能力同样伴随着一丝凶狠的因素，而且是经常伴随着这种野蛮的因素。请注意：慈善机构和宗教机关一般并不会从圣人中选择他们的行政官员。我们都看到了，迄今为止，由社会主义者们建立起来的一系列社团中，譬如耶稣会、十七世纪法国高僧教派非神职人员团体，以及在新哈莫里、布鲁克农场和佐阿的美国社区，只有在把犹太们作为管事者之后，它们才可能生存、发展。其余的职位，则可以安排那些善良的议员。生活中这样的情况并不少见：那些虔诚仁慈的地主周围总是站立着一位并不那么虔诚和仁慈的工头或帮手；最最和蔼可亲的乡间绅士却对守护着他们果园的恶犬雪白的牙齿特别赞赏有加。至于震颤教会，他们老是把恶魔送到市场上去，在从前的乡村里，这几乎已是家喻户晓的事情了……

为了表现上帝的力量，我们的绘画、诗歌和通俗宗教总是从地狱中汲取神谴天罚的例证。这样的一些事例，造成了这样一种象征性的暗示：些许的邪恶有益于身体的锻炼和力量的发展，仿佛良心对人们的手脚没有什么益处似的，仿佛那些可怜的、衰弱的、在法律和秩序的成规中循规蹈矩的君子们不可能拔脚飞奔，像那些能跑善跳的羚羊、野狼和野兔一样。正像治病救人的药剂中需要用毒，这个世界上少了恶棍就无法运行——他们就是药剂中的毒素；况且，在歹徒们中间也不乏公心和智慧。极端自私的和政治的行为与公正心并非水火难容，它们往往像和睦的邻居一样，融洽地生活在一起，这并不是所谓的巧合，而是事情的规律。我认识一位叫博尼费斯的人，他身材魁梧，多年来在我们那儿乡下的一座重要城市里经营着一家客栈兼酒吧。我不想向你们隐瞒什么，坦白地说，他是一个无赖，镇子上几乎所有的人都不能饶恕他。他善于交际、耍手腕，是一头情欲泛滥的野兽，既贪得无厌，又极端自私。请不要惊讶，这个世界上没有什么罪恶他不曾犯下，或者正要去犯，可是，他与市里的行政官员们却

交往甚笃：当他们到他的酒吧里就餐时，他用最好的排骨和最灿烂的笑容招待他们；而且，他对法官阁下也非常的热情：每次见到他，总是扑上去紧紧地握着他的手，嘘寒问暖，热情万分。他就像撒旦一样，把所有的魔鬼——男的和女的——都招引到城市里来。他是一个凶残的暴徒，是一个卑鄙的纵火犯，一个可耻的骗子，一个在夜间出没的强盗，他还是一位面带笑容的酒馆主……看吧，在夜幕的掩护下，这个恶魔行动了：他剥下那些戒酒人家的树皮，割掉他们马儿的尾巴。即使在光天化日之下，他也不愿消停：他率领那帮“酒徒”和激进分子闯

进市政厅里，参加市政会议，还发表滔滔不绝的演讲。与此同时，在他的酒吧里，他却为人随和，礼貌周全。他肥乎乎、胖墩墩、西装革履、风度翩翩，简直就是一位最最热心公益事业的模范公民：他支持修路，捐款资助喷泉、煤气和电报；他引进了新式的马拉耧耙、刮削器、婴儿连衫裤，以及诸如此类的由康涅狄格州送给令人崇敬的公民们的东西。做下面这样的事情，对他来说，那就更是小菜一碟了：把小商小贩呼唤进自己的客店，招待他们，替他们保管东西，作为报酬，他们在店主的房间和院子里替他挖掘新的陷阱……

虽然创新和完成工作的能力是以一种扭曲自身的方式进行的，因而，看起来好像是我们自己用斧头砍下了自己的手指一样触目惊心，但是，这种弊病并非无药可救，人类所诉求的一切自然力，有时，全都会成为他的主人，尤其是那些具有最神秘和不可思议的力量的自然力。那么，如果我们抛弃蒸汽、火和电呢？或者相反，使自己学会同它们打交道呢？概括这类行为的唯一法则是：只要在恰当的时间把它们放在恰如其分的位置上，所有的附加物都是善的！

那些血脉中涌动着大量的血液的人们，不可能在坚果、汤药和哀歌的包围中碌碌终生。他们也不会通过读小说或者玩惠斯特牌来娱乐自己。他们也无法通过在每个星期四都要举行的演讲会上或者波士顿的图书馆里的夸夸其谈来满足自己澎湃的欲望。他们仰慕挑战，渴望冒险，必定要不畏艰险，去跋涉、征服派克峰。他们宁愿在波尼族印第安人的斧下化为肉酱，也不愿意晚出早归，在一张平静的会计桌前，听着时钟滴滴答答地消逝。他们生来就被赋予了光荣的使命，他们是为了战争、海洋、矿藏、狩猎、开拓而降临人间的。他们生来就是为了拥抱九死一生的旷古奇遇，为了迎接空前绝后的风险，为了在坎坷一生的征伐之后，幸福地闭上眼睛。

有些人无法容忍哪怕是一个小时的宁静，好像这会要了他的命似的。我就认识一位可怜的马来厨师，他在利物浦的一艘邮轮上工作。每当海洋上狂风大作，波涛汹涌，他就按捺不住内心的狂喜。“吹吧！”他呼叫着，“我要告诉你，吹吧！”对这样的人，他们的朋友和统治者们一定得留意，给他们一些机会，让他们宣泄他们那火暴的天性。

在平静的家里注定要声名狼藉的喧闹者，一旦被送到旷达的墨西哥，一定会“为你覆满荣耀”，将作为英雄和将军荣归故里。在美国，有那么多的俄勒冈和加利福尼亚，有那么多的探险和远征，这足以让我们发现，他们是自讨苦吃，自作自受。那些年轻的英国人，是血气方刚的高雅动物。当没有战争供他们发泄那躁动不安的勇猛气概之时，他们就去旅行，去探险，在这危险的历程中体验战争的快乐和荣耀。这个世界上到处布满了他们的足迹：他们潜入挪威西海岸的大旋涡；他们游过达达尼尔海峡；他们登上冰雪覆盖的喜马拉雅山；他们在南非追猎狮子、犀牛、大象；他们在西班牙和阿尔及尔同博罗一起流浪；他们在南非与瓦特顿一道骣骑鳄鱼；他们伙同赖尔德一起利用贝都因人、阿拉伯酋长和巴扎老爷；他们在兰开斯特海峡的冰山间泛舟乘艇；他们在赤道线上窥探火山口；或者，他们在婆罗洲马来人的短剑上奔跑、呼啸……

在洪荒的人类历史中，如同在个人的生活史和工业的发展史中一样，过剩的精力也一样意义重大。强悍的民族和强悍的个人，最终都要皈依于自然的力量。这样的力量，在野蛮人的身上

得到了最好的进化、体现。野蛮人和他周围的野兽一样，仍然要依靠大自然母亲的养育，要依靠大自然母亲的乳汁滋养。我们可以设想一下：假如割断了我们与这种原始源泉的联系，那么我们所做的任何事情就都失去了根源，因而，就变得浅薄起来。正是依靠着这样的源泉，民众的生活才有了深厚的根基，因而，他们也就不像我们那些正人君子在激烈的辩论中所说的那样糟糕透顶。一位法国代表在论坛上讲过："如果你不同人民一道前进，那么，你就会迈进茫茫的黑夜中。因为，他们的本能是天意的指针，永远指向真正的利益。然而，如果你只是拥护某个奥尔良的党派，或某个波旁皇室的成员，或某个蒙塔朗贝尔的党派，或者是任何一个并非和人民息息相关的政党，那么，即便你的用心是善良的，你也只是具有了一种人格，而非一种原则。这种情况必定会把你拽入一条深不见底的死胡同中去。"

持之以恒才能看到美

爱默生

更多的人并不是凭借着天赋，而是通过练习，才变得有本领。

反复地练习，也可以养成一种气质的代用品，即习惯和持之以恒的力量。跟阿拉伯的巴巴利马（barb）相比，那些驽马更善于长途旅行。在化学上，动电电流虽然缓慢，但是却持久耐用，它的力量与电火花相等，是我们技术中一种更为理想的动能。对人类的行为而言，这个道理同样颠扑不破。我们必须通过反复练习的连续性来弥补爆发性力量。我们并不总是把力量浓缩在某一个时刻，而更多的是把等量的力量铺展在一个相当长的时间上。在这里，一只球的含金量和一片树叶的含金量是一致的。在西点军校，总工程师比福德上校用一

Claude Monet 82

把铁锤猛烈地敲打一门加农炮的炮耳，直到把它们敲烂。他又连续上百次地速射一门大炮，直至它的炮膛炸裂。那么，我们也许会问：是哪一次敲击破坏了炮耳呢？是哪一次爆炸炸裂了炮膛呢？回答简洁明了：是每一次敲击！是每一次爆炸！亨利八世常说：“勤奋胜似感觉。”或者说：伟哉，反复的练习。约翰·肯布尔说过：“在完完整整地演出一出戏时，最蹩脚的一班乡下专业演员也会比最优秀的一班业余演员强。”巴兹尔·霍尔喜欢证明最糟糕的正规军也能打败最出色的志愿军。练习的意义非同小可。

对于一位演说家而言，最好的练习就是不断地对民众进行演说。我们可以毫不过分地说，所有伟大的演说家在演说伊始都是糟糕的演说家。成为一名无与伦比的演说家，花费了科布登整整7年的时间，在这7年之内，他横穿英伦，不断地进行旅行演说。而为了让自己的演说技艺炉火纯青，温德尔·菲利普斯花费了14年的时间，在这14年之内，他横穿新英格兰，而且，伴随着他漫长的旅程的是一遍遍的演说。

我们也许学习过德语，我们知道最有效的方法就是反复地阅读、成百上千遍地阅读那几十页同样的内容，直到每一个单字和虚词在心中落地生根，滚瓜烂熟，那时候，我们才能够说我们掌握了这门外语。从来就没有哪位天才在刚阅读一首歌谣时，就能够像一位平庸的人练习了15次或者20次之后那么熟练地吟唱它，把它牢牢地记在心中。

为了热情地款待客人，为了像爱尔兰人一样招待客人，最惯常也最行之有效的做法就是一年之内每天都吃同样的正餐。这样持之以恒，最后，奥肖内西夫人终于学会了如何烹调精美的食物，男主人也学会了如何切肉，而客人们都受到了良好的招待。

我的一位天性幽默的朋友认为，大自然的艺术之所以表现得如此美轮美奂，之所以能够描绘出如此美妙绝伦的落日，是因为它总是持之以恒地再三重复着一件事情，直到自己学会了描绘的方法。一个人在谈论一个他已经烂熟于心的话题时，难道比他谈论一个新的话题时还要捉襟见肘吗？在交易所中，只有那些已经有过一次特殊经验的人的意见才能够得到重视。而一旦离开那个地方，他的意见也就毫无价值了。德谟克里特说过：“更多的人并不是凭借着天赋，而是通过练习，才变得有本领。”

自然中的摩擦是如此的繁多且巨大，在这从不间断的摩擦中，我们无法节约任何力量。问题的关键不在于如何表达我们的思想，选择我们的道路，而在于如何在我们所做的任何事情中克服物质和媒介的阻力，如何使自己获得前进的力量。要想做到这一点，没有什么终南捷径，因此，就需要反复地练习。因此，业余爱好者在与行家里手抗衡时，便显得无足轻重，甚至一文不值。

每天在钢琴上花上6个小时，只是为了双手能够灵巧地弹奏；每天在绘画上花上6个小时，只是为了自由地调配、运用那些讨厌的物质：油画颜料、赭石和画笔。大师们说，他们可以仅仅通过观察双手在琴键上的姿势，就可以确定一个人是否是钢琴大师，尽管掌握这种乐器是那样一种艰难而又重要的行为。机械师和职员的力量在于：通过上千次的操作，学会工具的使用方法；通过无休无止的加减，学会计算的技巧。

为了确认我在家中常有的这种体验，我曾经在英国发表过这样的意见，也就是说，在文人圈子里，那些诸如出版商、编辑、大学教务长以及教授、主教这样一些受人信赖、令人景仰的人，并不是最有文学才华的人，而通常只是一些智力平平的普通人而已，他们所擅长的，也不过是一种类似商人的活动能力和工作才干。无论是在古老的英格兰抑或是在新英格兰，通过把自己的力量推向一个有利可图的地方，或者是通过巧妙地使用力量，那些不足为奇的平常人就可以超越那些高人一等的人，而成为自己行业中的行家里手乃至权威。

我清楚地知道自己在讲什么，我并没有忘记还有一些超凡脱俗的原因限制了才干和表面成功的价值。我们总是容易在那些世俗英雄面前俯首称臣，顶礼膜拜。有一些宝贵的源泉我们还没有去汲取。我也知道自己在回避什么。请放心，我不过是把这个话题，把那些不得不说的话留到关于修养和崇拜的那一章中去讨论罢了。

不过，这种通过持之以恒的练习而获得的力量，是大自然化生万物所依赖的最基本的手段。我们必须注意，只要我们还重视家常生活，还重视这个世俗世界里的奖赏，那么，我们就必须尊重这种力量和精神。我个人认为，力量也适用于一种经济法则。同液体和气体差不多，力量也从属于精确的规律和细密的计算。它或是被节约地使用，或是被大把大把地浪费掉。每个人，只有在使自己成为自己力量的容器之后，才能成为一个强者。在历史上，除非通过这种精明的支出方式，任何非常的举动或成就都只能是镜中花，水中月。这种力量不是金子，但是却能制造金子。它不是名望，而是丰功伟绩。

如果我们的意志力能够控制这种力量，而且使它以一种节约的方式释放出来，如果我们能够破译它们的规律，那么我们就可以顺理成章地推论：人类的所有成功，所有可以想象得到的人类利益，或早或晚，都将为人力所包容、消化。而且，这一切都是他们向人类奉献自己的最佳方式。

世界犹如一架精密的机械，在毫厘不爽地运转着，在它浩渺无际、平静如流的曲线中，不存在任何的偶然。成功并没有我们想象得那么复杂，它并不比我们在工厂中编织的方格花布和平纹细布更稀奇古怪。在美国所有河流的两岸，都矗立着我们的工厂。对于我们这些终日忙忙碌碌、操心费力地为新英格兰策划的人来说，最令我们感动的一刻莫过于走进一家这样的工厂。

人类似乎只有在按照自己的形象创造织布机、印刷机和火车头之后，才知道在多大程度上自己也是一架机器。但是，在这些机器中，他必须时刻清除自己的愚蠢和无知，所以，当我们进入一家工厂之时，我们似乎发现，机器比我们更有道德。就让我们这些“万物的灵长”大着胆子走到一架织布机前，瞧瞧自己是否能够与它媲美吧。就让机器面对着机器，瞧瞧它们的结果究竟如何。

与印花布工厂相比，世界工厂更加复杂烦琐，它的建筑师也更为自得。在一家纺织方格花布的工厂里，一根断头的棉纱或者一块碎片会毁坏一匹上百码的棉布。通过彻底的追查，可以找到这位纺织棉布的女工，并降低她的工资。当股东得知这件事之后，他会高兴地搓着双手，喃喃自语：“利润先生，难道你竟是如此的巧妙！”面对着这样的情形，难道你还指望在你织出的那匹布中诓骗你的主人和雇主吗？这是一块比任何平纹细布都要华丽的棉布，创造这块棉布的机械装置要更为巧夺天工。那是一种无边无际、无穷无尽的巧妙，因此，你无法掩饰你在这匹布上偷偷搁置进去的任何粗制滥造的、欺诈舞弊的和腐朽堕落的时光。同时，你也不必担心，造化是公平的，任何诚实的棉纱，或者更为纯净的钢铁，或者更为不屈不挠的柱子，也都会在这匹布上。

我不在乎这世界，我只在乎你

欧文

我从未听说任何真正的感情，能逃脱忧虑的摧残，就像蛀虫啃啮春天最甜美的玫瑰花叶。

米德尔顿那些年岁超过了早年多情善感阶段的人，或者那些在放荡生活的纵情寻欢中成长起来的人，总会嘲笑一切爱情故事，把充满浪漫激情的传说只当作做小说家和诗人的杜撰，这倒是司空见惯的事。但我对于人类天性的观察却使我的见解与此不同。观察结果让我确信，不论人的性格表层会因为人世的忧虑而变得多么冷漠和冰结，或者被社会的尔虞我诈打造出一张虚假的笑脸，但在冰冷的心灵深处却仍然潜藏着火种，一旦点燃就会猛烈燃烧，而且有时甚至会产生破坏性的效果。的确，我是命运盲目性的忠实信徒，而且完全相信它的教义。要我承认吗？——我相信破碎的心，相信由于失望的爱而死亡的可能性。当然，我并不认为对我的性别而言这通常是种致命的疾患；但我坚信它会使许多可爱的女性枯萎凋谢而过早地进入坟墓。

男人是利益和野心的动物，他的天性引导他进入尘世的争斗和忙碌。爱情只不过是他早期生活中的点缀，或者是行动间歇时吹奏的一支歌曲。他们追逐名声、追逐财富、攻占世界的思想领域、试图控制自己的同胞。但是，女人的整个生命却是一部情感的历史。她的心就是她的世界：她的雄心壮志是要努力在心中建立起王国；她的贪婪是要在心中寻求隐藏的珍宝。她让自己的同情心走上冒险之途，她把整个心灵都投入感情的航道中，一旦船毁，她便陷入绝境——因为这是她的心破碎了。

对于男人来说，爱情的失意可能引起某种剧烈的痛苦；这会挫伤几分柔情蜜意，这会毁损某些欢乐的期望。但男人的天性是积极活动——他可以在各种繁忙的事业中去排解自己的愁绪；可以一头扎进寻欢作乐的浪潮中；如果失意之地会引起他过度的痛苦联想，他还可以随意变换住所，犹如展开“黎明的翅膀”，可以“飞到天涯海角并在那里休憩”。然而，女人相对而言却过着固定的、隐退的、沉思冥想的生活。

她更多地与自己思想和情感为伴；假如思想和情感被忧伤主宰，她到哪里去寻觅慰藉呢？她的命运就是被人追求、被人占有；假如她在爱情上遭遇不幸，她的心就会像一座被攻克、被劫掠、被抛弃、任其颓败的堡垒。

有多少双明亮的眼睛变得暗淡无光——有多少温柔的脸颊变得苍白失色——有多少美丽的倩影消失在坟墓中，却没有谁能说出摧残她们美好生命的原因是什么！正如被射伤的鸽子会紧夹着自己的翅膀，遮盖和隐藏那致命的箭镞一样，女人的天性也是把自己受伤的感情痛苦对世人掩藏起来。一个柔弱女子的爱总是羞怯与沉静的。

即使在幸运的时刻，她也很少对自己袒露心声。而在不幸的时候，她更是把爱埋藏在心的幽深处，在自己寂静的心灵废墟中瑟瑟发抖和郁郁沉思。心的渴求也随之泯灭了。生命的伟大魅力已经终结。一切使精神愉悦、情绪亢奋、能向血脉中注入健康的生命激流的欢乐活动，她都毫不属意。她的休憩受到破坏，恢复精神的甜美睡眠也被阴郁的梦境毒害——“冷酷的悲伤吮吸着她的血”，最后她虚弱的身躯在最微不足道的外部伤害中崩溃。之后不久你来寻找她，会发现朋友们在她早逝的墓前哭泣；你会感到奇怪——她前不久还那么健康美丽、光彩照人，怎么这么快就被送进了“黑暗与蛆虫”的领地。人们会告诉你，是冬日的一点风寒、某种偶发的微恙使她倒下的；却没有谁知道是精神的疾病先耗竭了她的体力，才使她如此轻易地成为了死神的猎物。

她就像一棵弱小的树，是丛林的骄傲和美神；她体态优雅，枝叶鲜亮，但是蛀虫却在啃噬着树心。在它本应该最鲜活最繁茂的时候，我们却发现她突然枯萎了。我们看见它的枝条低垂到地面，树叶一片接一片飘坠，最后凋零和死亡，在森林的一片寂静中倒下。而当我们面对这美丽的残迹沉思默想时，总会徒劳无益地竭力去追索可能袭击与毁灭了小树的狂风或者雷电。

我曾目睹过许多女人趋向损耗生命、自暴自弃，渐渐从世界上销声匿迹，几乎就像水汽被蒸发进天空里一样。我曾反复设想，自己也许能够通过她们各种各样的耗损、淡漠、衰弱、消沉、抑郁的过程，一直回溯到她们爱情失意的第一个征兆，从而探知她们的死因。最近有人告诉我一个类似的事例，在事情发生的这个国家可谓家喻户晓，在此我将按照人们的述说把它讲出来。

每个人都一定记得爱尔兰青年爱国者的悲壮故事，它是那么动人，人们是不会很快遗忘的。在爱尔兰动乱期间，他以叛国罪被审讯、判刑和处死。他的命运给公众同情心留下了深刻印象。他是那么年轻、那么聪明、那么慷慨、那么勇敢，具备了我们所喜爱的年轻人应该具有的一切。他在接受审讯时的举止也是那么崇高和无畏。他在驳斥对他背叛祖国的指控时大义凛然，在维护自己的名誉时是那么雄辩，他在被定罪的绝望时刻对后代的呼吁是那样悲怆感人，所有这一切都深深打动了每个宽宏大度的人的胸怀，甚至他的敌人也对处死他的苛政严刑感到痛惜。

然而，有一颗心的痛楚是无法以语言形容的。在原来较为快乐和命运顺利的日子里，他曾赢得了一位美丽而富于情趣的姑娘的芳心——她是爱尔兰一位曾经非常著名的律师的女儿。她以一个女人初恋时的无私热情爱着他。当俗世的一切律条准则都对他一致发动攻击时，当厄运突降、耻辱和危险在他的姓名上投下阴霾时，她却为他所经受的苦难而更加炽烈地爱着他。如果他的命运甚至可以唤起仇敌的恻隐之心，那么她——整个心灵都被他的形象所占据的人——所承受的痛苦又是何等巨大！只有那些曾被一道墓门将自己同世上最爱之人突然隔绝开来的人，他们才知道，只有那些坐在墓门前，仿佛被遗弃在一个冷漠孤寂的世界上，而最可爱、最亲密的一切都已永别的人，他们才知道。

然而，这样一座坟墓又是多么恐怖！如此可怕！如此屈辱！没有任何留存的回忆能慰藉永别的极度痛苦；没有哪种尽管忧伤却也温情的情景能永在心中珍藏；没有什么能把悲伤融成神圣的泪水——这些泪水如同从天堂降下的甘露，足以让痛苦别离时的心灵复苏。

她那不幸的依恋之情引起了父亲的不快，又被逐出家门，这使得她丧失情人的处境更为凄惨。假如友人的同情和好心照料能抚慰一颗被恐怖震撼和打击的心灵，她也许会感到不无安慰的，因为爱尔兰人具有敏感、慷慨的性情。一些富户望族给了她细致与真情的关怀。

她被引入社交场合，人们尝试用各种活动和娱乐来驱散她的哀伤，让她能从悲剧性的爱情中解脱出来。可是一切都是徒劳。有一些灾难性的打击会损伤和烧焦心灵——会刺穿幸福攸关的致命部位——会粉碎它，使之永远无法结出蓓蕾、绽放花朵。她并不反对常去娱乐场所，但她在那里却像身陷孤独的深渊一样寂寞；她在悲伤的梦幻中徘徊游荡，对周围的世界显然毫无知觉。她怀着内心的伤悲，使一切出于友谊的关怀都徒劳无果，她对“魔法师的歌充耳不闻，尽管他祛病之法无比高明”。

给我讲故事的人曾在一次化装晚会上见到过她。没有比在这种场合见到病入膏肓的痛苦更令人震撼、令人心碎的了，周围是一片欢乐，却看见她像幽灵一样孤独地、郁郁寡欢地游荡着；她穿着喜庆的服饰，却面色惨白，愁容密布，仿佛徒劳地要欺骗自己那颗可怜的心，好把悲痛暂时忘却。她带着心不在焉的神情，漫步穿过华丽的房间和令人目眩的纷扰人群，在一个管弦乐队的台阶上坐下，带着茫然的神情稍稍环顾四周，显然对五色缤纷的场面毫无知觉；随后便带着病态心灵所特有的变幻莫测的情绪，颤声唱起一支小小的哀怨曲。

她的嗓音很美，在此刻更显得那么纯洁、动人，她唱出如此悲怆的心声，以至吸引来一群目瞪口呆、缄默不语的人，个个感动得热泪盈眶。

如此真实、如此动情的故事，在一个素以热情著称的国度里不能不激起人们的浓厚兴趣。它完全征服了一位勇敢的军官的心，他向她求爱了，他想，一个对死者都如此忠贞不渝的人，一定会对活着的人产生感情的。她拒绝了他的情意，因为她对故去情人的记忆还不可改变地占据着自己的心。不过他坚持不懈地追求她。他并非恳求要得到她的柔情，而只是她的敬重。她确信他的价值，也明白自己一贫如洗而要依赖他人的处境，因为她是靠友人的善心生活的——这些都对她有所帮助。总之，他的求婚最终获得了成功，不过她得到了庄严的承诺：她的心无可改变地属于另一个人。

他把她带到了西西里，希望环境的改变能逐渐磨掉她往昔的痛苦记忆。她是位和蔼的模范妻子，而且努力要成为一位快活的妻子。

然而没有什么能治愈她那渗透到灵魂深处的无言的、毁灭性的忧郁。在缓慢但又是无可疗治的衰竭中，她耗尽了生命，最终走进了坟墓，成为一颗破碎之心的牺牲品。

著名的爱尔兰诗人穆尔特意为她写了下面的诗句：她远离了她的英雄的长眠之地，周围的求爱者在叹息；但她对他们的凝视冷漠地掉头不顾，哭泣着，因为她的心已在他的坟墓中安息。

她唱着故乡平原的荒凉之歌，他所喜爱的每个音符又响起——啊！那些喜爱她曲调的人们却很少想，吟唱者的心在怎样破碎！

他曾为爱而生——为他的祖国而献身，正是这一切才使他留恋生命——祖国的眼泪不会很快就干掉，他所爱者不久也将随他而去！

啊！在阳光驻留的地方为她建一座坟墓，阳光预示着光荣辉煌的明天；阳光将照着她安眠，如来自西边的一抹微笑，来自她自己的可爱的痛苦之岛。

当惰性袭来时，就再坚持一下

罗兰

你也许要问：怎样才可以克服自己的惰性而把自己推动起来？

当然，惰性实在是很不容易克服的一件东西。

没有多少人不懒惰，那些勤奋的人，都是一些意志的力量在推动他的。

所以，我们不妨说："意志是克服惰性的一种力量。"而这意志的形成，是要靠一个值得追求的目标。有这个目标在那里等待我们去达到，我们就会觉得有理由把自己发动。

俗话说："人不为利，谁肯早起？"

"利"是目的之一，喜欢"利"的人，自然会为了追求"利"而让自己早起。当然，世上不是人人都喜欢"利"的，即使人人都喜欢"利"，也不一定每一个人都把"利"当作最值得追求的目标。

那么，把什么来代入这个"利"，这就要看我们自己的理想或喜好了!

因此，如要克服自己的惰性，先要为自己建立一个理想的目标。

问问自己，你要得到什么？你最喜欢最向往的东西是什么？你先在心里为自己找到这个答案。也许，你喜欢发财。也许你喜欢发了财之后，为自己弄一片果园。也许你打算出国，也许你想参加高考，也许你想成为音乐家、画家，或作家。那么，等你确定了你的目标之后，你会发现生活中有许多项目突然变得有意义起来，而另外又有些项目突然变得不重要起来。那时，你就会找到一些可以把自己发动的力量，让自己不再那么毫无目的的懒惰下去了。

当然，只是大目标，有时未免觉得遥远，而且太过抽象。那么，我们不妨把大目标确立之后，再给自己定立一些小目标。

比如你想存钱为自己买一片果园，那么你先要把存钱的方法找到。所谓存钱，当然一方面是开源，一方面是节流。开源的方法是工作，节流的方法是多勤劳，少游荡。这个小目标确立之后，你会开始觉得早晨一定要早起，才可以免得把时间浪费在床上，而利用这个时间，你可以去送报纸，送牛奶，或自己取代家里工人的职务去整理庭园。

于是，你觉得早起有了意义。以前，你会觉得早起也没有事，或不知道从何着手去做事。而当你有了目标之后，你在起身之前，就已经知道起来之后该忙些什么，你就会很顺利地把自己从床上拉起来，去做事了。

同样的道理。如果想在学问上有点成就，那么，你达到这个目的的办法，只有用功读书。于是，你就可以开始找一些你应该读的书放在桌上，排出次序，一样样地去读，这样你自然就愿意尽量利用时间去读，去记，去写。而不会只在心里着急，却不知道该做些什么才是。

建立目标，是帮助自己克服惰性的方法之一。除此之外，要设法给自己找一点可以鼓励自己的力量。因为成功的路途是很漫长的，在这漫长的途中，如果缺少鼓励，就不容易把兴趣长远维持下去。而这鼓励的力量，也要看你所要追求的是什么而定。你想存钱的话，自然以银行的存折最能使你得到安慰和鼓励。如是其他，那么，像互相勉励的朋友，自己工作的成绩，师长的奖励，等等。要留神给自己安排一点这一类的机会。

明确的目标，和适当的鼓励，可以使我们进取得快些，顺利些。

但是，最主要的，还是要我们自己时常在心中反复记住一句话："人生很短，没有多少时间可以允许我们浪费！"

西哲说："要活得好像明天就要死去一样。"

这话真的有着不凡的催逼的力量，谁也不知道哪一天是自己的生命终站。

多数人都预期自己可以活到一百岁，因此在二三十岁的时候，他还在那里慢慢腾腾，不慌不忙。

而认真生活的人，常会相信，只有自己可以掌握的这短暂的现在，是他靠得住的寿命。因此他尽量地利用他每一分、每一秒的时间去推动他自己。

生命不浪费，成功的机会就多了。

纸上得来终觉浅

叔本华

不论藏书多么丰硕的图书馆，假如没有任何条例的话，我们在那里受益的东西还不如一家整理的井井有条的小图书馆，因为藏书虽然少，规模虽然小，但是分类清楚使我们节省很多时间。同样的道理，不论你学识如何广博，如果不能反复的思考，加以吸收的话，你就还不如那些学识一般，但能够深思熟虑的头脑。为何这样讲？因为我们要将学到的知识真正地变为己有，并且用到现实中来，即必须有一个思考的过程，把自己的学识在融会贯通，把你认为的真理和其他的哲学相比较，当然了，真正深度的思考，其实是一条十分狭窄的路，它往往限定在我们所熟知的事务中，所以我们必须不断探索，不断地吸收更多的知识。

阅读或学习，我们可以选择自己的兴趣点，喜欢阅读什么就读什么，热衷于学习什么就学习什么，但这里谈及的“思考”，并非如此。就好像在大风中维持火焰不灭，你必须始终不停地挥舞扇子，给柴堆添加燃料；思考时，要对思索的事物产生真正的

“兴趣”，不停地从中挖掘，并且要坚持不懈不能松弛。产生思考兴趣的原因可能有两个：其一是纯粹客观原因；其二是主观原因。其中，后者是在关乎自我的实相中产生的；前者来自对宇宙的兴趣，这样的人之所以会思考，源自一种天性，就如同呼吸一样平常，可以说是生理性的。事实上，这样的人并不多见，就是一般的学者，能够进入真正思考的状态，也为数甚少。

思考和阅读在精神上的效果，可谓大异其趣，其差别之大，简直天壤之别。本来人类的头脑的各个不同，有的人喜欢阅读，有的人迷恋于冥想，再加上先前所言的差别，就会使这种差异性大大拉大。深度的阅读，人的精神与心理活动会全部为书卷所左右，随着书籍的内容伤心而伤心，快乐而快乐，就像把印鉴加盖在火漆上一般，这种喜怒哀乐的情绪，原本不是自己的。思考则完全不同，在思考的一刹那，精神世界和外部环境是隔开的，内心世界随着思考而活动，它和阅读不同，受到别人思想的控制，而是和思考者的性格与内心状态有关，只是提供情绪和材料罢了。所以，经常沉迷于书籍的人，他精神方面的弹性终究会消耗一光，这就像长期被重物压着的弹簧，它的弹力最后会彻底丧失。你若是只想做个没有个性与思想的生物，只是想当个两脚书柜，这倒是个好办法。大略地讲，通常“博闻多识”的人物，大多数都无甚才华，他们的作品之所以不是一流产物，就是因为只知读书而不知思考。这类人就像波普所说的：“只是想作为阅读者，并不打算当作家。”

所谓“学者”是指那些埋头于书斋里的人；思想家、发明家、天才以及其他人类中的菁华，从来都是直接取法天地，得万

物之宏旨。

毫不客气地说，只有拥有自身思想的人，才拥有真理和生命，为何这样讲呢?因为我们只有拥有属于自己的根本思想，才能有所领悟，才能从书中观览别人的思想，否则就会被别人的思想所占领，只得到一些别人思想的渣滓。

阅读后所获得的思想，就像考古学家从化石来推断远古时代的植物一般，是各有依据的;是从自己的内心发掘出的思想，就像面对真实的植物研究植物学，具有科学性和客观性。

阅读在某种程度上只是思考的替代品，我们只是把书籍当作思考的引子，阅读是通过别人把自己的思想引导到一处。不过就实际而言，很多书籍不但无益，而且有害，会把人导向邪恶

的道路。如果轻易就被他们蛊惑的话，人会被诱导到万劫不复的深渊中去。所以我们心中必须先有一个准绳，就是不能轻易放弃自己，失去自我。而这个准绳，只有善于思考的人才有。这就是说，只有真正有思想的人，才是自由的，才有精神上的通衢大道。所以，只有当我们的思想陷入难以前进的状态时，才会去阅读。思想的萎靡不振，就最好的大脑里也曾有过。正是因为如此，人们才孜孜以求地去读书，因为把思想放到最偏陋的处所，实在是一种罪过。这类人就像教条的学画者一样，整日观摩各种植物的标本和铜刻版画，但却忘记了真实的风景。

擅长思考的人有一个有趣的发现，那就是他费尽心机，灵感偶发得到的东西，自以为是原创且获得了真理，但是闲来翻开书才发现，原来前人早已有同样的想法，并非你独创的思想。这时候你恐怕会大为泄气，不过客观地来说，你也不必失落，因为这毕竟是经过你自己的思考而来的，其价值并不容轻视。只有这样，才更证明你的思考是正确的，是有价值的，在古人那里获得了印证。只有这样经过反复验证的理论，才能被民众所接受，而你也成了真理的掌握者之一。并且，它不像你看到的一般理论，只是像风一样掠过你的头皮，它已经深深植根于你的头脑，不会

Louveciennes route de St G
Versailles 1871

轻易消失。

一个通过自己的头脑思考的人，他的建议会被视为权威证据。这种权威性和书籍中所称的权威不同，前者的价值和他自身有着密不可分的联系，而后者不过是对前人理论的总结。他就像是用特殊材料制成的有自己生命力的人偶，是可以自行活动的，是一个灵动的人，因为它来自思想的母腹，有过受孕，发育，成长的历程。

而通过学习而未加思考得来的理论，就像是一个残疾人的假手，假腿，那只假牙和橡胶制成的鼻子，是一种浅层的移植。而自己思考得来的真理，则像一个人天生以来就拥有的肢体，是

完全受自己的神经系统所支配的。哲学家和普通学者之间的区别也就在这里。由此可见，他们在精神上的道路也就大为不同。哲学家就像一个画家，他采用正确的光线，恰当的比例，调和的色调，画出一幅属于自己的作品。而普通学者呢，就像把各种色彩和颜料罗列，组成一个巨大的调色板，就没有变化也没有创造，仅此而已。

纯粹的读书而不思考，是用别人的脑袋来替代自己思考。自己思考产生的东西，也许并不够严谨和深刻，但是可以通过经络发现事物的整体，我们可以依靠它发展出更加深刻的东西。比之通过阅读得来的东西，其优点自不待言。为何这样说呢，因为后者是从大量的信息中归纳出来的，就其源头而言，那是别人的东

西，是别人的构架，别人的光亮。这不像自己思考的人，已经把自己的学识融会贯通，有自己的个性，自己的世界，是一个完整的体系。而未经思考而填充在脑袋里的东西，五花八门，纷乱不堪，将一个理性并清醒的头脑搞的杂乱不已，结果完全使他丧失了正常的判断力，也失去了个体的主见性。这种情况，在乎在每一个学者身上都有过。所以，在获得健全的思考，批判能力之前，他们几乎不如那些毫无学识的人。

仅靠读书而度过一生的人，就像那些只读过游记而没有到过实际地方的人，他们了解各地的山水、风景，知道很多名称和词汇，能够把各国的情况说个大概。但是这些地方之间有何具体的关联，人们的习惯究竟如何，人文方面有何动向，则只知其一不知其二，甚至不知所云。反之，一个乐意思考并且以思考支配自己的人，就像生长并在那

些地方度过的土著居民，一旦谈起当地的事物，就能够深入浅出地说清楚来龙去脉，传统、习俗甚至当地的传说，那是一种经历般的东西。

光荣的荆棘之路

安徒生

有一个十分古老的故事："光荣的荆棘之路：一个名叫普鲁德的猎手获得了至高的荣誉和尊重，但他长期陷于困厄和生命危险中。"我们小时候大多已经听过这个故事，后来又读到过它，并且认识到自己也有过不曾被人歌咏过的荆棘之路和重重困难。故事和现实之间并无明显的分野。不过故事经常有一个令人愉悦的结局，但现实中的事经常并不美好，只能期待永远的将来。

世界历史就像一盏幻觉中的灯，它在现实的黯淡屏幕上，映照出漂亮的投影，依此可见那些为人类创造美的天才和圣雄在走怎样一条殉道之路。

走在人类前列的天才们投影在各个时代，各个国家频繁的投影给我们看。每一次放映时间都非常短暂，但是却意味着他的一生——那是充满斗争并且获取胜利的一生。我们现在审视一下这些殉道者们吧——除非这个世界被忽然毁灭，否则他们的队伍就永无尽头。

我们来看一下拥挤着观众的圆形剧场，诙谐并且充满嘲讽的语言像洪水一般从剧作家阿里斯托芬的“霓虹”里辐射出来。雅典最引人注目的那个人物，都受到了嘲讽，不论是人身方面还是他的精神都遭到了攻击。他还是保护人民抗击过三十个专制君主的战士，他的名字叫苏格拉底，它曾在混乱的战争中救过阿尔希比亚和圣诺芬，他的智慧超过了神。他也观看了这场演出，他从观众的席位上走到了舞台上，让那些正在轰然大笑极尽嘲讽之能事的人们看看，他本人和舞台上被嘲笑的那个家伙之间有何相同之处。他站在他们面前，不卑不亢。

你，充满汁液的，绿色的毒芹，雅典的暗影不是橄榄枝而是你！

七个城邦都在互相吵闹，说荷马出生在自己的城中——这是在荷马死了之后，大家争抢他的声誉。那么，他活着的时候是怎样的呢？他在各个城市之间流浪，以咏唱诗篇来维持生活。但他想到明天的生活全无希望时，他的头发也变得一片灰白了。他——荷马，这伟大的先知诗人，实际上是一个极其孤独的盲人。锋利的荆棘曾将他破烂的圣人的衣装撕碎。

但是他的诗歌永远活着，通过这些诗歌，在人群中传唱，古代的英雄和神也都复活。

历史的投影一幅接着一幅，从太阳升起的国家出现，又传递到太阳落下的国家。这些国家之间的空间距离十分遥远，但是却有着相同的光荣之路以及荆棘之路。长满了尖利的刺的植物在装点他的墓地，才开出一朵白花。

骆驼从棕榈树下走过，他们带来了珍贵的颜料和无数财宝，

这是这个国家的统治者送给一个人的礼品——这个人是人民的期望，是国家的代表。妒忌和谗言逼迫他从这个国家逃亡，直到现在人们才发现真相。这个驼队快要到他避难的村镇，人们却抬着一具冰凉的尸首走来，驼队停了下来，发现死者正是他们要找的人——菲尔杜希——充满荆棘的光荣之路到此停止。

在葡萄牙的首都，在王宫的大理石阶梯上，坐着一个面孔浑厚，嘴唇丰满，头发漆黑的非洲人，他正在乞讨。他是贾默恩忠诚的奴仆。若非他乞讨到了很多铜币，他的主人——创造了伟大的叙事诗《路西亚达》的作者贾默恩早已因饥饿而倒毙。

现今贾默恩的墓上还树立着一块重要的纪念碑。

碑上镌刻着一幅画!

高高的铁栏杆后面站着一个人，他的脸色像要死了一样白的可怕，他的脸上蓄着又长又乱的胡须。

“我有一项发明——这是很多个世纪以来最伟大的功勋，”他说。“但是我被人关在这里长达二十余年！”“他究竟是何人？“"一个疯子！”看守疯人院的守卫说。“这些疯子充满了稀奇古怪的想法！他们认为蒸汽可以作为一种动力推动东西！”

此人就是萨洛蒙·得·高斯，黎先留完全读不懂他近乎预言一般的著作，他最后死在了疯人院中。

现在出现的是哥伦布，街头无人管教的孩子们经常跟在他的后面，追着嘲笑他，因为他发现了新大陆——而且真的发现了。热烈的欢迎的钟声迎接他的凯旋归来，但是妒忌和谗言的钟声也比这更加洪亮。他，这伟大的新世界的发现者和探索者，把一个黄金大陆从未知之海中发现的人，把一切都献给了君主，但他得到的报酬只是一条铁索，他要求人们把铁索放在他的棺木上，让后世的人们看看他所处的时代怎样对待英雄。

投影一幅连接一幅，光荣的荆棘之路还在继续。

黑暗中坐着一位老人，他想测量出月亮上山丘的尺度。他探索未知的太空和星星，他懂得宇宙的奥妙，他能够感觉到地球在脚下的运行，他就是伽利略。已经步入暮年的他，耳朵失聪而且眼睛看不见，他坐在那里，坐在锐利的痛苦和人们的轻视之中。他似乎已经丧失了动一动脚步的力气，但是当人们不相信真理的时候，他曾不顾灵魂的痛苦而跺脚，大声呼唤着说：“但是它的确在转动呀。”

这里有一位女性，她有一颗孩童般的心，她充满了热忱和希望。她在一支战斗的军队前面高高举着旗帜，因为她为自己的国家带来了胜利和自由。空中响起一片狂欢之声，于是烈火被点燃，熊熊燃烧，人们要烧死一个女巫——冉·达克。尔后，在长达一个世纪的时间里，人们抛弃了这朵人类最圣洁的百合，但智慧的天才伏尔泰却发现了，高声歌颂“拉·比塞尔”。

在北欧的长形殿堂里，丹麦贵族烧毁了君王的律法。当熊熊大火燃烧，立法者和他的时代都被火焰所照亮，同时也把关押四个囚犯的监室照亮。他满头华发，佝偻着腰；他坐在地上，用手刻画着石头做的桌子；他曾管理过三个王国，他是一个民众热爱的君主；他是市民和农民的挚友：克里斯先二世界。他生在一个鲁莽的时代，他也是一个鲁莽之人。敌人为他书写历史，我们不该忘却他曾经的血腥与罪，但也必须记住，他曾被囚禁长达二十七年。

一艘船从丹麦离开，船上有一个人依靠着桅杆站立，他向汶岛投出最后的一瞥。他就是杜却·布拉赫。他曾把丹麦的名字镌刻在星球上，但他得到的只有嘲笑和谗毁。他离开自己的国家，在他方流亡。他说：“到处都有天空，我夫复何求？”他离开了故国，但是在别的国家得到了尊崇和自由。

“啊，我要活的自由！我要从身体的困顿中逃离！”好几百年来，我们都一直听到这个声音，这是谁呢？是格里芬菲尔德——丹麦的普罗米修斯——他被铁索困在穆克赫尔穆石岛上的一幅画中。

我们来到河边，来到一条汹涌的大河边。有一大群人聚集在一起，据传有一艘船可以在恶劣天气逆风前进，因为它拥有抗拒风浪前进的动力。那个发明这种船的人叫罗伯特·富尔顿。他的船航行了一段，但是忽然抛锚了，人们便轰然大笑，并且喝倒彩，有人嘲讽说：“真是愚蠢透顶的疯子，应该把他扔到疯人院里去。”

原来是一根小铆钉断了——很快就被修复，机器又运转了起来，蒸汽推动明轮，船在水中破浪前进！蒸汽机的杠杆大大缩短了世界各地的距离。

人们啊，当一个人知道了自己的使命，你能懂得这刹那的清醒中的幸福吗？在这一刹那间，你在充满荆棘的光荣之路上所受的所有的伤痛——即使是由你自己造成的——也会痊愈的，并且恢复力量，拥有健康和欢乐。嘈杂的声音变成和谐的乐章；人们在一个人的身上发现了上帝般的宽容与慈爱，而这慈爱从一个人身上波及所有人。

充满荆棘的光荣之路看起来像一条闪烁光彩的带子，环绕着我们的星球。只有幸运者才会踏上这条路，才会被指定为架设人类与上帝桥梁的人，他是没有报酬的工程师。

历史鼓荡着它宽大的羽翼，从一个世纪飞到下一个世纪，同时在光荣的荆棘之路这个幽暗的背板上，投下许多明朗的影像，给我们勇气和力量，给我们现实的安慰，使我们获得平静。这是一条光荣但艰险的路，它与童话全然不同，并不会在这个人世间走上愉悦的终点，它超越属于自己的时代，但却永恒。

三
世界不好意思一直拒绝你

每个人，只有在使自己成为自己力量的容器之后，才能成为一个强者。

我一直陶醉于世界的美好之中

居里夫人

生活对任何人来说都不是一件简单的事，我们必须有百折不挠的精神；最重要的是我们对生活必须有信心。我们要相信，我们有自己独到的天赋，并且，无论付出多大代价，我们都要完成该做的事。当一切都完成了，我能够毫无愧疚地说："我已尽了所有的可能。"

有一年春天的时候，由于生病我一连数周都在家休息。我观察我女儿们的养蚕活动，蚕正在结茧，这让我非常动心。看着这些蚕，它们近乎偏执地在工作，它们是那么勤奋，而且锲而不舍，我觉得我很像它们，能够耐心朝向一个目的。我能够如此，也许是因为有一种超越于我自身的力量在支配我——正如蚕被那种力量驱动着去结茧。

在将近50年的时间里，我致力于科学领域的工作，所有研究基本上都是对真理的探索。我有很多幸福的记忆，年轻时候在巴黎大学的孤独念书时光，后来和丈夫一起生活的日子，都像做梦一般，我们在非常简陋的研究室里工作，后来在那里发现了镭。

在现实生活中，我所追求的是安静的工作和平凡的家庭。为了实现这一点，我竭力维持宁静，以免在盛名之下无法进一步做研究。

我非常相信，在科学领域我永远怀有对事物的兴趣而非对人的。当我的丈夫皮埃尔·居里和我商议是否应该在镭的发现上获取经济利益时，我们果断地做出决定，不对镭的发现申请专利，因为这违背我们做研究的初衷。尽管这抛弃了一大笔财富，但我相信我们是对的。当然了，人类需要追求实际，但在我们的研究中，我们已经获得了我们想要的东西。而且，人类需要有梦想——人们之所以做一件事，是因为梦想的吸引，他们没有时间和经济去追求物质上的利益。我唯一的奢望是，能够生活在一个自由的国家，以自由科技工作者的身份进行自己的工作。我从来没有把这件事视为天然之事，因为在24岁之前，我的国家一直处于被占领和欺辱中。我思考过关于法国自由的问题。

我并不是一个生来就温文尔雅的人。我早已明白，许多像我一样性情的人，受到一点呵责就会懊恼痛苦，他们尽量把自己的敏感隐藏起来。我丈夫皮埃尔的性格十分沉静，使我从中获得了很多良好的教益。当他突然离世之后，我便学会了对世事的各种容忍。当我上了年纪之后，我逐渐学会了对生活的欣赏，比如种花，观察植物和建筑，甚至对诗歌和星星也产生了一些兴趣。

我一直陶醉于世界的美好之中，我所为之献出一生的科学，也有了更多美好而且新的规划。我相信，科学本身就是一种伟大的艺术。一个从事科学研究的人，他不只是一个科工人员，他还应当拥有一颗童心，在大自然之中，就像迷恋远古神话。这种力量，使我能够长久地在实验室里工作。

心宽是对这个世界最好的道别

罗素

尽管标题是老年的到来，但实际上我在文章中谈的是怎样才能永葆青春。到了我这把年纪，这实在是一个不得不谈的问题。我的第一个建议是，要好好选一个先祖。虽然我的双亲已经过世了，但我仍然考虑了我别的先辈，我的选择仍有诸多卓越之处。我的外祖父活到了六十七岁，可谓盛年而逝。但是，我的另外三位祖父辈的人物，却都堪称长寿，都活到了八十岁以上。至于稍微远些的亲戚们，只有一位不够长寿，他死于一种现在已非常罕见的疾病——被砍了脑袋。我亲属当中的一个老太太，算是曾祖母一辈的亲属，他是吉本的朋友，她享年九十二岁，始终让子孙们充满敬畏。至于我的外祖母，她的儿女总共有十个，除了其中一个夭折之外，全都在这个世界上闯荡。实际上，在此之前她还有过多次流产。但她堪称一个强悍的人，虽然早年守寡，但并不影响她投身女性的高等教育事业。她是剑桥大学格顿学院的创办者之一，致力于女性在医疗方面的教育。她经常说起她在意大利的一件事，一个老绅士神态非常哀伤，当她询问的时候，老先生告诉她，他刚刚失去了两个孙子。她惊叫道：“上帝啊！我的孙子和孙女加起来有七十二个，如果我像你一样悲伤，那我就无法活下去了。”老先生看着他，回答了一句：“好奇怪的母亲啊。”不过，作为她的后裔之一，我必须承认我很喜欢她的见解。上了八十岁之后，她的入眠效果逐渐变差，她干脆在午夜到凌晨这段时间阅读科普作品。我猜测，她完全没有觉察到自己的年老。我想，这就是她保持自己不老的方法。我认为，这就是永葆精神上年轻的良方。假如你的兴趣十分广泛，活动能力有很强，而你又能从中感受到来自己精力所带来的快乐，那你就不必去理会年龄的问题，那属于统计学范畴，更不用计较所谓未来的问题。此外，谈到健康的时候，我可以说几乎一生都没有生过病，也就谈不上良好的建议了。至于饮食方面，我比较随性；至于睡眠，通常是睡到自然醒。我做事从来都不考虑健康方面的问题，尽管我喜欢做的事实际上都是有益健康的。

从心理学的角度讲，老年人要警惕来自两个方面的风险。其一是不要沉湎于过往的事，因为人不能活在回忆之中，不能把美好的过去和亡友的哀思当作生活的中心。人应当着眼于未来，放在需要做的事情上。要做到这一点并不容易，因为对上了年纪的人来说，往事实在太多。人们总是有一个误区，以为过去的情感浓烈于现在，头脑也好于现在。假若真是如此，那干脆忘掉好了。如果能忘掉，那么你认为的情况就不存在。

其二是避免依赖年轻的人，不要企图从他们年轻的朝气中获取能量。孩子们成年后都想照自己的想法生活，如果你还像他们年幼的时候照料他们，你就会成为他们的累赘，除非他们特别迟钝。我并非说不关心子女，而是说关心应该方法正确，比如含蓄。除此之外，也许还应该宽厚，不要感情用事。以动物为例，当幼小的动物长到成年，大动物就不再关注他们了。人类则因为幼年期过长，所以无法如此。

我认为，对于那些精力充沛，爱好广泛的人来说，不受情感影响地度过老年，绝不是一件容易的事。只有活动恰当适度，其长寿才算是有益。在这个前提下，从经验中得来的智慧才能不受到压制，良好地应用。对成年的孩子不断施加影响，叫他们不犯错误是没有可能的。其一，你对他们的影响力越来越小；其二，错误原本就是教育所不可少的因素（否则就不需要教育）之一。但是，假如你的生活全部依赖于情感，那么不把心思都放在儿女的生活上，你就会觉得虚无。如果事情的确是这样，在你还能为他们提供物质支持之时，比如经济支持和为之织毛衣，你就必须清楚，不要希冀他们能从中得到快乐。

有些老人陷于死亡的恐惧之中。年轻人对死亡的恐惧是可以理解的，比如有些年轻人担心自己死在战争中，一想到生活中的美好都将失去，痛苦自然难免。这种忧虑并非毫无来由，所以大可理解。但对于一个老人而言，他已经经历了岁月的磨砺，悲欢离合如同过眼云烟，他也履行了人生的职责（勉为其难的），这时候还恐惧死亡就可笑复可悲了。克服类似恐惧的良方——至少我认为的办法——就是挖掘你的兴趣并使这种兴趣不被感情所影响，就像打破包围你的墙壁，这样你的生活也就逐渐和大家的生活成为一体。每个人的生活宛若河流，开始的时候是涓涓细流——限定在狭窄的岸中间，之后冲破一切网罗，包括岩石、泥土，像瀑布一样跌落。最后，河道越来越宽广，河岸变得遥远，河面变得平缓。最后，河流进入大海，逐渐消失了停顿，甚至脱离了自身的存在。能够这样理解，并且面对自己一生的人，大约不会恐惧死亡，因为这一切都将继续存在。假如随着经历衰竭，日渐感到疲倦的话，长眠也并非不是一件令人痛苦的事。我渴望在我死前尚能劳作，同时还有人继续进行我没有完成之事，我就会因自己尽了绵薄之力而欣慰。

我的歧路

胡适

梅先生是向来不赞成我谈思想文学的，现在却极赞成我谈政治；孙先生是向来最赞成我谈思想文学的，现在很恳挚地怪我不该谈政治；常先生又不同了，他并非不赞成我谈思想文学，他只希望我此时把全副精神用在政治上。这真是我的歧路！

我在这三岔路口，也曾迟回了三年；我现在忍着心肠来谈政治，一只脚已踏上东街，一只脚还踏在西街，我的头还是回望着那原来的老路上！伏庐怪我走错了路，我也可以承认；燕生怪我精神不贯注，也是真的。我要我的朋友们知道我所以“变节”与“变节而又迟回”的原故，我不能不写一段自述的文章。

我是一个注意政治的人。当我在大学时，政治经济的功课占了我三分之一的时间。当一九一二到一九一六年，我一面为中国的民主辩护，一面注意世界的政治。我那时是世界学生会的会员，国际政策会的会员，联校非兵会的干事。一九一五年，我为了讨论中日交涉的问题，几乎成为众矢之的。一九一六年，我的国际非攻论文曾得最高奖金。但我那时已在中国哲学史的研究上寻着我的终身事业了，同时又被一班讨论文学问题的好朋友逼上文学革命的道路了。从此以后，哲学史成了我的职业，文学做了我的娱乐。

一九一七年七月我回国时，船到横滨，便听见张勋复辟的消息；到了上海，看了出版界的孤陋，教育界的沉寂，我方才知道张勋的复辟乃是极自然的现象，我方才打定二十年不谈政治的决心，要想在思想文艺上替中国政治建筑一个革新的基础。我这四年多以来，写了八九十万字的文章，内中只有一篇曾琦《国体与青年》的短序是谈政治的，其余的文字都是关于思想与文艺的。

一九一八年十二月，我的朋友陈独秀、李守常等发起《每周评论》。那是一个谈政治的报，但我在《每周评论》做的文字总不过是小说文艺一类，不曾谈过政治。直到一九一九年六月中，独秀被捕，我接办《每周评论》，方才有不能不谈政治的感觉。那时正当安福部极盛的时代，上海的分赃和会还不曾散伙。然而国内的“新”分子闭口不谈具体的政治问题，却高谈什么无政府主义与马克思主义。我看不过了，忍不住了，因为我是一个实验主义的信徒，于是发愤要想谈政治。我在《每周评论》第三十一号里提出我的政论的导言，叫作《多研究些问题，少谈些主义！》（《文存》卷二，页一四七以下）。我那时说：我们不去研究人力车夫的生计，却去高谈社会主义；……不去研究安福部如何解散，不去研究南北问题如何解决，却去高谈无政府主义。我们还要得意洋洋地夸口道：“我们所谈的是根本解决。”老实说吧，这是自欺欺人的梦话，这是中国思想界破产的铁证，这是中国社会改良的死刑宣告！……

高谈主义，不研究问题的人，只是畏难求易，只是懒！

但我的政论的“导言”虽然出来了，我始终没有做到“本文”的机会！我的导言引起了无数的抗议：北方的社会主义者驳我，南方的无政府主义者痛骂我。我第三次替这篇导言辩护的文章刚排上版，《每周评论》就被封禁了；我的政论文章也就流产了。

《每周评论》是一九一九年八月三十日被封的。这两年零八个月之中，忙于病，使我不能分出工夫来做舆论的事业。我心里也觉得我的哲学文学事业格外重要，实在舍不得丢了我的旧恋来巴结我的新欢。况且几年不谈政治的人，实在不容易提起一股高兴来作政论的文章，心里总想国内有人起来干这种事业，何必要我来加一忙呢？

然而我等候了两年零八个月，中国的舆论界仍然使我大失望。一班“新”分子天天高谈基尔特社会主义与马克思社会主义，高谈“阶级战争”与“赢余价值”；内政腐败到了极处，他们好像都不曾看见，他们索性把“社论”“时评”都取消了，拿那马克思—克鲁泡特金—爱罗先珂的附张来做挡箭牌，掩眼法！外交的失败，他们确然也还谈谈，因为骂日本是不犯禁的；然而华盛顿会议中，英美调停，由中日两国代表开议，国内的报纸就加上一个“直接交涉”的名目。直接交涉是他们反对过的，现在这个莫名其妙的东西又叫作“直接交涉”了，所以他们不能不极力反对。然而他们争的是什么呢？怎样才可以达到目的呢？是不是要日本无条件的屈服呢？外交问题是不是可以不交涉而解决呢？这些问题就很少人过问了。

我等候两年零八个月，实在忍不住了。我现在出来谈政治，虽是国内的腐败政治激出来的，其实大部分是这几年的“高谈主义而不研究问题”的“新舆论界”把我激出来的。我现在的谈政治，只是实行我那“多研究问题，少谈主义”的主张。我自信这是和我的思想一致的。梅迪生说我谈政治“较之谈白话文与实验主义胜万万矣”，他可错了；我谈政治只是实行我的实验主义，正如我谈白话文也只是实行我的实验主义。

实验主义自然也是一种主义，但实验主义只是一个方法，只是一个研究问题的方法。他的方法是：细心搜求事实，大胆提出假设，再细心求实证。一切主义，一切学理，都只是参考的材料，暗示的材料，待证的假设，绝不是天经地义的信条。实验主义注重在具体的事实与问题，故不承认根本的解决。他只承认那一点一滴做到的进步，步步有智慧的指导，步步有自动的实验，才是真进化。

我这几年的言论文字，只是这一种实验主义的态度在各方面的应用。我的唯一目的是要提倡一种新的思想方法，要提倡一种注重事实、服从证验的思想方法。古文学的推翻，白话文学的提倡，哲学史的研究，《水浒》、《红楼梦》的考证，一个“了”字或“们”字的历史，都只是这一个目的。我现在谈政治，也希望在政论界提倡这一种“注重事实，尊崇证验”的方法。

我的朋友们，我不曾“变节”；我的态度是如故的，只是我的材料与实例变了。

孙伏庐说他想把那被政治史夺去的我，替文化史夺回来。我很感谢他的厚意。但我要加一句：没有不在政治史上发生影响的文化；如果把政治划出文化之外，那就又成了躲懒的、出世的、非人生的文化了。

至于我精神不能贯注在政治上的原因，也是很容易明白的。哲学是我的职业，文学是我的娱乐，政治只是我的一种忍不住的新努力。我家中政治的书比其余的书，只成一与五千的比例，我七天之中，至多只能费一天在《努力周报》上；我做一段二百字的短评，远不如做一万字《李觏学说》的便利愉快。我只希望提

倡这一点“多研究问题，少谈主义”的政论态度，我最希望国内爱谈政治又能谈政治的学者来霸占这个周报。以后我七天之中，分出一天来替他们编辑整理，其余六天仍旧去研究我的哲学与文学，那就是我的幸福了。

我很承认常燕生的责备，但我不能承认他责备的理由。他说：至于思想文艺等事，先生们这几年提倡的效果也可见了，难道还期望他尚能再有进步吗？

他下文又说“现在到了山顶以后，便应当往下走了”，这些话我不大懂得。燕生决不会承认现在的思想文艺已到了山顶，不

C. Pissarro 1872

能“再有进步”了。我对于现今的思想文艺，是很不满意的。孔丘、朱熹的奴隶减少了，却添上了一班马克思、克鲁泡特金的奴隶；陈腐的古典主义打倒了，却换上了种种浅薄的新典主义。我们“提倡有心，创造无力”的名是不能避免的。这也是我在这歧路上迟回瞻顾的一个原因了。

容忍比自由更重要

胡适

十七八年前，我最后一次会见我的母校康奈儿大学的史学大师布尔先生（George Lincoln Burr）。我们谈到英国文学大师阿克顿（Lord Acton）一生准备要著作一部《自由之史》，没有完成他就死了。布尔先生那天谈话很多，有一句话我至今没有忘记。他说："我年纪越大，越感觉到容忍（tolerance）比自由更重要。"

布尔先生死了十多年了，他这句话我越想越觉得是一句不可磨灭的格言。我自己也有"年纪越大，越觉得容忍比自由更重要"的感想。有时我竟觉得容忍是一切自由的根本；没有容忍，就没有自由。

我十七岁的时候（一九〇八）曾在《竞业旬报》上发表几条《无鬼丛话》，其中有一条是痛骂小说《西游记》和《封神榜》的，我说：

《王制》有之："假于鬼神时日卜筮以疑众，杀。"吾独怪夫数千年来之排治权者。之以济世明道自期者，乃懵然不之注意，惑世诬民之学说得以大行，遂举我神州民族投诸极黑暗之世界！……

这是一个小孩子很不容忍的"卫道"态度。我在那时候已是一个无鬼论者、无神论者，所以发出那种摧除迷信的狂论，要实行《王制》（《礼让》的一篇）的"假于鬼神时日卜筮以疑众，杀"的一条经典！

我在那时候当然没有梦想到说这话的小孩子在十五年后（一九二三）会很热心地给《西游记》作两万字的考证！我在那时候当然更没有想到那个小孩子在二十年后还时时留心搜求可以考证《封神榜》的作者的材料！我在那时候也完全没有想想《王制》那句话的历史

意义。那一段《王制》的全文是这样的：

> 析言破律，乱名改作，执左道以乱政，杀。作淫声异服，奇技奇器以疑众，杀。行伪而坚，言伪而辩，学非而博，顺非而泽以疑众，杀。假于鬼神时日卜筮以疑众，杀。此四诛者，不以听。

我在五十年前，完全没有懂得这一段话的"诛"正是中国专制政体之下禁止新思想、新学术、新信仰、新艺术的经典的根据。我在那时候抱着"破除迷信"的热心，所以拥护那"四诛"之中的第四诛："假于鬼神时日卜筮以疑众，杀。"我当时完全没有梦到第四诛的"假于鬼神……以疑众"和第一诛的"执左道以乱政"的两条罪名都可以用来摧残宗教信仰的自由。我当时也完全没有注意到郑玄注里用了公输般作"奇技异器"的例子；更没有注意到孔颖达《正义》里举了"孔子为鲁司寇七日而诛少正卯"的例子来解释"行伪而坚，言伪而辩，学非而博，顺非而泽以疑众，杀"。故第二诛可以用来禁绝艺术创作的自由，也可以用来

“杀”许多发明“奇技异器”的科学家。故第三诛可以用来摧残思想的自由，言论的自由，著作出版的自由。

我在五十年前引用《王制》第四诛，要“杀”《西游记》《封神榜》的作者。那时候我当然没有想到十年之后我在北京大学教书时就有一些同样“卫道”的正人君子也想引用《王制》的第三诛，要“杀”我和我的朋友们。当年我要“杀”人，后来人要“杀”我，动机是一样的：都只因为动了一点正义的火气，就都失掉容忍的度量了。

我自己叙述五十年前主张“假于鬼神时日卜筮以疑众，杀”

的故事，为的是要说明我年纪越大，越觉得“容忍”比“自由”还更重要。

我自己总觉得，这个国家，这个社会，这个世界，绝大多数人是信神的，居然能有这雅量，能容忍我的无神论，能容忍我这个不信神也不信灵魂不灭的人，能容忍我在国内和国外自由发表我的无神论的思想，从没有人因此用石头掷我，把我关在监狱里，或把我捆在柴堆上用火烧死。我在这个世界里居然享受了四十多年的容忍与自由。我觉得这个国家、这个社会、这个世界对我的容忍度量是可爱的，是可以感激的。

所以我自己总觉得我应该用容忍的态度来报答社会对我的容忍。所以我自己不信神，但我能诚心地谅解一切信神的人，也能诚心地容忍并且敬重一切信仰有神的宗教。

我要用容忍的态度来报答社会对我的容忍，因为我年纪越大，我越觉得容忍的重要意义。若社会没有这点容忍的气度，我决不能享受四十多年大胆怀疑的自由，公开主张无神论的自由。

在宗教自由史上，在思想自由史上，在政治自由史上，我们都可以看见容忍的态度是最难得，最稀有的态度。人类的习惯总是喜同而恶异的，总不喜欢和自己不同的信仰、思想、行为。这就是不容忍的根源。不容忍只是不能容忍和我自己不同的新思想和新信仰。一个宗教团体总相信自己的宗教信仰是对的．是不会错的，所以它总相信那些和自己不同的宗教信仰必定是错的，必定是异端，邪教。一个政治团体总相信自己的政治主张是对的，是不会错的，所以它总相信那些和自己不同的政治见解必定是错的，必定是敌人。

一切对异端的迫害，一切对“异己”的摧残，一切宗教自由的禁止，一切思想言论的被压迫，都由于这一点深信自已是不会错的心理。因为深信自己是不会错的，所以不能容忍任何和自己不同的思想信仰了。

试看欧洲的宗教革新运动的历史。马丁·路德（Martin Luther）和约翰·高尔文（John Calvin）等人起来革新宗教，本来是因为他们不满意于罗马旧教的种种不容忍，种种不自由。但是新教在中欧北欧胜利之后，新教的领袖们又都渐渐走上了不容忍的路上去，也不容许别人起来批评他们的新教条了。高尔文在日内瓦掌握了宗教大权，居然会把一个敢独立思想，敢批评高尔文的教条的学者塞维图斯（Servetus）定了"异端邪说"的罪名，把他用铁链镇在木桩上，堆起柴来，慢慢地活烧死。这是一五五三年十月二十三日的事。

这个殉道者塞维图斯的惨史，最值得人们的追念和反省。宗教革新运动原来的目标是要争取“基督教的人的自由”和“良心的自由”。何以高尔文和他的信徒们居然会把一位独立思想的新教徒用慢慢的火烧死呢？何以高尔文的门徒（后来继任高尔文为日内瓦的宗教独裁者）柏时（deBeze）竟会宣言“良心的自由是魔鬼的教条”呢？

基本的原因还是那一点深信我自己是“不会错的”的心理。像高尔文那样虔诚的宗教改革家，他自己深信他的良心确是代表上帝的命令，他的口和他的笔确是代表上帝的意志，那么他的意见还会错吗？他还有错误的可能吗？在塞维图斯被烧死之后，高尔文曾受到不少人的批评。一五五四年，高尔文发表一篇文字为他自己辩护，他毫不迟疑地说："严厉惩治邪说者的权威是无可疑的，因为这就是上帝自己说话。……这工作是为上帝的光荣战斗"。

上帝自己说话，还会错吗？为上帝的光荣作战，还会错吗？这一点"我不会错"的心理，就是一切不容忍的根苗。深信我自己的信念没有错误的可能（Infallible），我的意见就是"正义"，反对我的人当然都是"邪说"了。我的意见代表上帝的意旨，反对我的人的意见当然都是"魔鬼的教条"了。

这是宗教自由史给我们的教训：容忍是一切自由的根本；没有容忍"异己"的雅量，就不会承认"异己"的宗教信仰可以享受自由。但因为不容忍的态度是基于"我的信念不会错"的心理习惯，所以容忍"异己"是最难得，最不容易养成的雅量。

在政治思想上，在社会问题的讨论上，我们同样地感觉到不容忍是常见的，而容忍总是很稀有的。我试举一个死了的老朋友的故事作例子。四十多年前，我们在《新青年》杂志上开始提倡白话文学的运动，我曾从美国寄信给陈独秀，我说：

> 此事之是非，非一朝一夕所能定，亦非一二人所能定。甚愿国中人士能平心静气与吾辈同力研究此问题。讨论既熟，是非自明。各辈已张革命之旗，虽不容退缩，然亦决不敢以吾辈所主张为必是而不容他人之匡正也。

独秀在《新青年》上答我道：

鄙意容纳异议，自由讨论，固为学术发达之原则，独于改良中国文学当以白话为正宗之说，其是非甚明，必不容反对者有讨论之余地；必以吾辈所主张者为绝对之是，而不容他人之匡正也。

我当时看了就觉得这是很武断的态度。现在在四十多年之后，我还忘不了独秀这一句话，我还觉得这种“必以吾辈所主张者为绝对之是”的态度是很不容忍的态度，是最容易引起别人的恶感，是最容易引起反对的。

我曾说过，我应该用容忍的态度来报答社会对我的容忍。我现在常常想，我们还得戒律自己：我们着想别人容忍谅解我们的见解，我们必须先养成能够容忍谅解别人的见解的度量。至少我们应该戒约自己决不可“以吾辈所主张者为绝对之是”。我们受过实验主义的训练的人，本来就不承认有“绝对之是”，更不可以“以吾辈所主张者为绝对之是”。

女子装饰的心理

萧红

装饰本来不仅限于女子一方面的，古代氏族的社会，男子的装饰不但极讲究，且更较女子而过。古代一切狩猎氏族，他们的装饰较衣服更为华丽，他们甘愿裸体，但对于装饰不肯忽视。所以装饰之于原始人，正如现在衣服之于我们一样重要。现在我们先讲讲原始人的装饰，然后由此推知女子装饰之由来。

原始人的装饰有两种，一种是固定的为黥创文身，穿耳、穿鼻、穿唇等；一种是活动的，就是连系在身体上暂时应用的，为带缨、钮子之类，他们装饰的颜色主要的是红色，他们身上的涂彩多半以赤色条绘饰，因为血是红的，红色表示热烈，具有高度的兴奋力。就是很多的动物，对于赤色，也和人类一样容易感觉，有强烈的情绪的连系。

其次是黄色，也有相当的美感，也为原始人所采用，再是白色和黑色，但较少采用。他们装饰所选用的颜色，颇受他们的皮肤的颜色所影响，如白色和赤色对于黑色的澳洲人颇为采用，他们所采用的颜色是要与他们皮肤的颜色有截然分别的。

至于原始人对于装饰的观念怎样呢？他们究竟为什么要装饰？又为什么要这样装饰呢？这就谈到了他们装饰的心理问题了。

我们大概会惊异于他们这种重视装饰的心理吧，如鲸身是他们身体装饰中最痛苦的，用刀或铁箭在身上刺成各种花纹，有的且刺满全身，他们竟于忍受痛苦而为其人的勇敢毅力的表示。而这种忍受，大都是为了装饰美观，极少含有其他作用。少年男女到了相当年龄，便执行着这种苦刑，而以为荣。以为假如身上没能刺刻的花纹，则将来很难找到爱侣。至于活动的装饰，如各种环缨之类的佩戴物，则一方表示他们勇敢善战，不懦怯，一方面是引起异性的爱悦，因为他们都以勇敢善斗为荣。身上所佩戴的许多珍贵的装饰物，表示他们的富有，是以勇敢夺得或猎取来的。总之，原始人装饰的用意，一方是引起异性爱悦，一方是引起他人的敬畏。事实上，各种装饰是兼具此两意义的，这实在是生存竞争中不可少和有效的工具。由这些情形看来，在原始社会中男子的装饰较女子讲究，也是因为原始社会的人民，没有确定的婚姻制度，无恒久的配偶，而女子在任何情形中都有结婚的机会，男子要得到伴侣，比较困难，故必须用种种手段以满足其欲望。

但在文明社会中，男女关系与此完全相反，男子处处站在优越地位，社会上一切法律权利都握在男子手中，女子全居于被动地位。虽然近年来有男女平等的法律，但在父权制度之下，女子仍然是被动的。因此，男子可以行动自由，女子至少要受相当的约制。

这样一来，女子为达到其获得伴侣的欲望，因此也要借种种手段以取悦异性了。这种手段，便是装饰。

装饰主要的用意，大都是一方以取悦于男性，一方足以表示自己的高贵。脸上敷着白粉、红脂、口红、蔻丹等。刚才说过红色是原始人用作装饰的主要颜色，红白相称特别鲜明，不独引人注目，亦以表示其不亲劳动的身份。故牙齿既然是白的，口唇必须涂红。西洋妇女脸上涂桔黄色的粉，这是表示他们的富有，因为夏天海滨避暑为海风吹拂脸颊成黄色。白色最能显示脸部和身体的轮廓，原始人跳舞往往在夜间昏昏的灯光和月色之下，用的色在身体验成条纹，使身体轮廓显明，易为人注目。妇女用红白二色饰脸部，也是利用其颜色鲜明，且色其热烈性，易使人感动。中国少女结婚时多穿红衣红裙，大概不外这个意义。

女子装饰亦随社会习惯而变迁。昔人的观念，以柔弱娇小为美，故女子束腰裹脚之行盛行，有“楚王好细腰，宫中多饿死”者的惨事。近来体育发达，国人观念改变，重健康，好运动，女子以体格壮健肤色红黑为美。现在一班新进的女子，大都不饰脂粉，以太阳光下的红黑色肤色的天然风致为美了。黑色太阳镜之盛行，不外表示其常常外出的习惯而已。

两个朋友

萧红

金珠才十三岁，穿一双水红色的袜子，在院心和华子拍皮球。华子是个没有亲母亲的孩子。

生疏的金珠被母亲带着来到华子家里才是第二天。

“你念几年书了？”

“四年，你呢？”

“我没上过学。”金珠把皮球在地上丢了一下又抓住。

“你怎么不念书呢？十三岁了，还不上学？我十岁就上学的……”

金珠说：“我不是没有爹吗！妈说等她积下钱让我念书。”

于是又拍着皮球，金珠和华子差不多一般高，可是华子叫她金珠姐。

华子一放学回来，把书包丢在箱子上或是炕上，就跑出去和金珠姐拍皮球。夜里就挨着睡，白天就一道玩。

金珠把被褥搬到里屋去睡了！从那天起她不和华子交谈一句

话；叫她："金珠姐，金珠姐。"她把嘴唇突起来不应声。

华子伤心的，她不知道新来的小朋友怎么会这样对她。

再过几天华子挨骂起来——孩崽子，什么玩意儿呢！——金珠走在地板上，华子丢了一个皮球撞了她，她也是这样骂。连华子的弟弟金珠也骂他。

那孩子叫她："金珠子，小金珠子！"

"小，我比你小多少？孩崽子！"

小弟弟说完了，跑到爷爷身边去，他怕金珠要打他。

夏天晚上，太阳刚落下去，在太阳下蒸热的地面还没有消灭了热。全家就坐在开着窗子的窗台，或坐在门前的木凳上。

"不要弄跌了啊！慢慢推……慢慢推！"祖父招呼小珂。

金珠跑来，小母鸡一般地，把小车夺过去，小珂被夺着，哭着。祖父叫他："来吧！别哭，小珂听说，不要那个。"

为这事，华子和金珠吵起来了："这也不是你家的，你管得着？不要脸！"

"什么东西，硬装不错。"

"我看你也是硬装不错，'帮虎吃食'。"

"我怎么'帮虎吃食'？我怎么'帮虎吃食'？"

华子的后母和金珠是一道战线，她气得只是重复着一句话："小华子，我也没见你这样孩子，你爹你妈是虎？是野兽？

我可没见过你这样孩子。"

"是'帮虎吃食'，是'帮虎吃食'。"华子不住说。

后母亲和金珠完全是一道战线，她叫着她："金珠，进来关上窗子睡觉吧！别理那小疯狗。"

“小疯狗，看也不知谁是小疯狗，不讲理者小疯狗。”

妈妈的权威吵满了院子：“你爸爸回来，我要不告诉你爸爸才怪呢？还了得啦！骂她妈是‘小疯狗’。我管不了你，我也不是你亲娘，你还有亲爹哩！叫你亲爹来管你。你早没把我看到眼里。骂吧！也不怕伤天理！”

小珂和祖父都进屋去睡了！祖父叫华子也进来睡吧！可是华子始终依着门呆想。夜在她的眼前，蚊子在她的耳边。

第二天金珠更大胆，故意借着事由来屈服华子，她觉得她必定胜利，她做着鬼脸：“小华子，看谁丢人，看谁挨骂？你爸爸要打呢！我先告诉你一声，你好预备着点！”

“别不要脸！”

“骂谁不要脸？我怎么不要脸？把你美的？你个小老婆，我告诉你爹爹去，走，你敢跟我去……”

金珠的母亲，那个胖老太太说金珠：“都是一般大，好好玩，别打架。干什么金珠？不好那样！”华子被扯住肩膀：“走就走，我不怕你，还怕你个小穷鬼！都穷不起了，才跑到别人家来，混饭吃还不够，还瞎厉害。”

金珠感到羞辱了，软弱了，眼泪流了满脸：“娘，我们走吧！不住她家，再不住……”

金珠的母亲也和金珠一样哭。

“金珠，把孩子抱去玩玩。”她应着这呼声，每日肩上抱着孩子。

华子每日上学，放学就拍皮球。

金珠的母亲，是个寡妇母亲，来到亲戚家里，是来做帮工，华子和金珠吵架，并没有人伤心，就连华子的母亲也不把这事放在心上，华子的祖父和小珂也不把这事记在心上，一到傍晚又都到院子去乘凉，吸着烟，用扇子扑着蚊虫……看一看多星的天幕。

华子一经过金珠面前，金珠的母亲的心就跳了。她心跳谁也不晓得，孩子们吵架是平常事，如鸡和鸡斗架一般。

正午时候，人影落在地面那样短，狗睡到墙根去了！炎夏的午间，只听到蜂子飞，只听到狗在墙根喘。

金珠和华子从正门冲出来，两匹狗似的，两匹小狼似的，太阳晒在头上不觉到热；一个跑着，一个追着。华子停下来斗一阵再跑，一直跑到柴栏里去，拾起高粱秆打着。

金珠狂笑，但那是变样的狂笑，脸嘴已经不是平日的脸嘴了。嘴斗着，脸是青色地，但仍在狂笑。

谁也没有流血，只是头发上贴住一些高粱叶子。已经累了！双方都不愿意再打，都没有力量再打。

“进屋去吧，怎么样？”华子问。

“进屋！不打死你这小鬼头对不住你。”金珠又分开两腿，两臂抱住肩头。

“好，让你打死我。”一条木板落到金珠的腿上去。

金珠的母亲完全颤栗，她全身颤栗，当金珠去夺她正在手中切菜的菜刀时；眼看打得要动起刀来。

做帮工也怕做不长的。

金珠的母亲，洗尿布、切菜、洗碗、洗衣裳，因为是小脚，一天到晚，到晚间，脚就疼了。

"娘，你脚疼吗？"金珠就去打一盆水为她洗脚。

娘起先是恨金珠的，为什么这样不听说？为什么这样不知好歹？和华子一天打到晚。

可是她一看到女儿打一盆水给她，她就不恨金珠而自己伤心。若有金珠的爹爹活着哪能这样？自己不是也有家吗？

金珠的母亲失眠了一夜，蚊子成群地在她的耳边飞；飞着、叫着，她坐起来搔一搔又倒下去，终夜她没有睡着，玻璃窗子发着白了！这时候她才一粒一粒地流着眼泪。十年前就是这个天刚亮的时候，金珠的爹爹从炕上抬到床上，那白色的脸，连一句话也没说而死去的人……十年前了！在外面帮工，住亲戚也是十年了！

她把枕头和眼角相接近，使眼泪流到枕头上去，而不去擦它一下，天色更白了！这是金珠爹爹抬进木棺的时候。那打开的木棺，可怕的，一点感情也没有的早晨又要来似的……她带泪的眼睛合起来，紧紧地压在枕头上。起床时，金珠问："娘，你的眼睛怎么肿了呢！"

"不怎么。"

"告诉我！娘！"

"告诉你什么！都是你不听说，和华子打仗气得我……"

金珠两天没和华子打仗，到第三天她也并不想立刻打仗，因为华子的母亲翻着箱子，一面找些旧衣裳给金珠，一面告诉金珠："你和那丫头打仗，就狠点打，我给你作主，不会出乱子的，那丫头最能气人没有的啦！我有衣裳也不能给她穿，这都给你。跟你娘到别处去受气，到我家我可不能让你受气，多可怜呐！从小就没有了爹……”

金珠把一些衣裳送给娘去，以后金珠在一家中比谁都可靠，把锁柜箱的钥匙也交给了她。她常常就在华子和小珂面前随便吃梨子，可是华子和小珂不能吃。小珂去找祖父。

祖父说：“你是没有娘的孩子，少吃一口吧！”

小珂哭起来了！

这一家中，华子和母亲起着冲突，爷爷也和母亲起着冲突。

被华子的母亲追使着，金珠又和华子吵了几回架。居然，有这么一天，金耳环挂上了金珠的耳朵了。

金珠受人这样同情，比爹爹活转来或者更幸运，饱饱满满地过着日子。

“你多可怜呐！从小就没有了爹！……”金珠常常被同情着。

华子每天上学，放学就拍皮球。金珠每天背着孩子，几乎连一点玩的工夫也没有了。

秋天，附近小学里开了一个平民教育班。

“我也上‘平民学校’去吧，一天两点钟，四个月读四本书。”

华子的母亲没有答应金珠，说认字不认字都没有用，认字也吃饭，不认字也吃饭。

邻居的小姑娘和妇人们都去进“平民学校”，只有金珠没能去，只有金珠剩在家中抱着孩子。

金珠就很忧愁了，她想和华子交谈几句，她想借华子的书来看一下，她想让华子替她抱一下小孩，她拍几下皮球，但这都没有做，她多少有一点自尊心存在。

有天家中只剩华子、金珠、金珠的母亲，孩子睡觉了。

“华子，把你的铅笔借给我写两个字，我会写我的姓。”金珠说完话，很不好意思，嘴唇没有立刻就合起来。

华子把皮球向地面丢了一下，掉过头来，把眼睛斜着从金珠的脚下一直打量到她的头顶。

为着这事金珠把眼睛哭肿。

“娘，我们走吧，不再住她家。”

金珠想要进“平民学校”进不得，想要和华子玩玩，又玩不得，虽然是耳朵上挂着金圈，金圈也并不带来同情给她。

她患着眼病了！最厉害的时候，饭都吃不下。

“金珠啊！抱抱孩子，我吃饭。”华子的后母亲叫她。

眼睛疼得厉害的时候，可怎样抱孩子？华子就去抱。

“金珠啊！打盆脸水。”

华子就去打。

金珠的眼睛还没好，她和华子的感情可好起来。她们两个从朋友变成仇人，又从仇人变成朋友了！又搬到一个房间去睡，被子接着被子。在睡觉时金珠说：“我把耳环还给她吧！我不要这东西！”她不爱那样闪光的耳环。

没等金珠把耳环摘掉，那边已经向她要了：“小金珠，把耳环摘下来吧！我告诉你说吧，一个人若没有良心，那可真算个人！我说，小金珠子，我对得起你，我给你多少衣裳？我给你金耳环，你不和我一条心眼，我告诉你吧！你后悔的日子在后头呢！眼看你就要带上手镯了！可是我不能给你买了……”

金珠的母亲听到这些话，比看到金珠和华子打架更难过，帮工是帮不成的啦！

华子放学回来，她就抱着孩子等在大门外，笑眯眯的，永久是那个样子，后来连晚饭也不吃，等华子一起吃。若买一件东西，华子同意她就同意。比方买一个扣发的针啦，或是一块小手帕啦！若金珠同意华子也同意。

夜里华子为着学校忙着编织物，她也伴着她不睡，华子也教她识字。

金珠不像从前可以任意吃着水果，现在她和小珂、华子同样，依在门外嗅一些水果香。华子的母亲和父亲骂华子，骂小珂，也同样骂着金珠。

终久又有这样的一天，金珠和母亲被驱着走了。

两个朋友，哭着分开。

每个伟大的人物，都看似平凡

叔本华

很多人都期望通过自己的良好意志获得成功，然而，这不可能真的如愿，因为这一意志仅是引向个人的一个目的，而一旦烙上个人目的的印记，诗歌、艺术或哲学就永远不能受到真正严肃认真的对待。所以，用“自己挡住自己的光线”这句话来形容这种人非常恰当。他们不会意识到只有当智力脱离了意志及其所有控制，能够自由活动时，我们才能真正进行创作，因为此时，我们才会产生真正的关切。这对那些粗制滥造者而言是一件好事，否则他们就得自杀了。在道德范畴内，良好、善良的意志即是一切；但在艺术上，它则一无是处。正如“艺术”（kunst，指艺术、技艺、能力）这词早已表明的，能力才是唯一重要的东西。

问题说到底在于一个人真正关切的到底是什么。几乎对每个人而言，他们真正关心的只有自身以及整个家庭的安逸。因此，他们能做的一切也就是努力实现这一目的。因为决心、人为和具有目的性的努力都不能赋予、补足，或者更准确地说，借给他们一种真正意义上的、诚挚的关切。这是由于我们的关切之处总是由大自然作出安排，且保持不变。如果这种关切面临缺少的情况，人们做任何事情都只会敷衍了事。同理，天才往往都很少对自身的安逸多加注意。就像一个铅造的摇摆物总是由于重心所限停在它该停的位置，同样，一个人的智力总会驻守在他自己真心关切的地方。

所以，只有那些真正关心的并非个人与实际的事务，而是客观的与理论性的东西的人——他们是为数不多的非一般人物，才能认识到事物和这一世界的本质性的东西，即至高的真理，并且以他们独有的方式把这一认识再现出来。如此对处于自身以外的客体抱有热切关注，对人的本性来说是陌生的、非自然的和真正超自然的。当然也正因为这样，这种人才配得上伟大的名号。人们认为控制和引导天才们的“精灵”是他们创造出来的东西的主要成因。对天才们而言，他们创作的画作、诗歌抑或思想作品就是目的；但对粗制滥造者来说，这些只不过是手段罢了。

后者通过这些手段寻找自己的利益，一般而言他们也懂得怎样谋取自己的利益，因为他们紧随同时代的大众，时刻准备着为同时代人变幻不定、反复无常的需要效力。因此，这些人的生活境况通常都不错，但天才却往往遭遇悲惨的境况——这是因为天才以牺牲个人的安乐为代价来实现客观的目标。天才这样做也是迫不得已，因为客观目标才是他关切的真正所在。对粗制滥造者来说，如此做法在他们身上永远不会发生，因此，他们是渺小的，而天才则是伟大的。天才的作品是留给全部时代的一笔财富，但这些作品往往只在后世才开始得到承认。前一种人则与他们的时代生死与共。总之，唯有那些通过自己的劳动——不论是实际性的工作抑或理论性的作品——追求纯粹客观目的而并非谋取个人利益的人，才是伟大的。

即使在日常生活中人们误解了这一目的，即使这一目的因此变成一种过错或者罪行，他依然是伟大的。他并没有谋取自身的利益——仅凭这一点，不管在什么情况下都能用伟大来形容他。相比之下，一切指向个人利益的行为和努力都是渺小的，因为受这种目的驱使而活动的人只在弱小的和转瞬即逝的自身发现自己。而能够在每一种事物，也就是在全部事物中都认出自身的人就是伟大的，他们与其他只活在微观宇宙里的人不同，他们活在宏观宇宙里。

为此，事物的整体与他息息相关，而在认识事物的过程中他也试图领会和理解这一整体，以便将其表现出来，或者对这一整体作出相关解释，又或者在实际中对这一整体施予影响。这是因为他对这一整体非常熟悉，他能感觉到自己与这一整体密切相关。由于他在自身以外扩大了认识的范围，我们才将其称为伟大。这一崇高的称号只属于那些真正的英雄和天才，不管在什么意义上，他们都当之无愧。他们与一般人具有的人类本性不同，并未追求自己个人的利益；他们并非为了自己，而是为了所有人而活。不过，即便大部分人永远都是渺小不堪，无法成为伟大的，但反过来说法却并不成立，也就是说，一个人的伟大是完全的伟大，每时每刻都是如此伟大：

由于人是用泥土做成，

习惯是他的乳娘。

——席勒《华伦斯坦之死》

所以说，在很长一段时间里，每个伟大的人物看似只是一个平凡的人，他们只看到自己，而这就意味着渺小。“没有人在自己的贴身仆人面前是一个英雄”正是基于这一道理，它并不是说这个仆人不知道欣赏这个英雄。歌德在《亲和力》中把这一道理作为奥蒂莉出乎意料的思想表达了出来。

四

向生活摆出喜悦的姿态

生活对任何人来说都不是一件简单的事，我们必须有百折不挠的精神；最重要的是我们对生活必须有信心。

仰望繁星时的幸福

都德

在吕贝龙山上看守羊群的那些日子里，我常常一连好几个星期一个人也看不到，孤单单地和我的狗拉布里，还有那些羔羊呆在牧场里。有时，于尔山上那个隐士为了采集药草也从这里经过，有时，也可以看到几张皮埃蒙山区煤矿工人黝黑的面孔；但是，他们都是一些天真淳朴的人，由于孤独的生活而沉默寡言，再也没有兴趣和人交谈，而且，他们对山下村子里、城镇流传的消息也一无所知。因此，每隔十五天，当我们田庄上的驴子给我驮来半个月的粮食的时候，我一听到在上山的路上响起了那牲口的铃铛声，一看见在山坡上慢慢露出田庄上那个小伙计活泼的脑袋，或者慢慢露出诺拉德老婶那顶赭红色的小帽，我真是快活极了。我总是要他们给我讲山下的消息，洗礼啦，婚礼啦，等等；而我最关心的就是丝苔法内特最近怎么样了，她是我们田庄主人的女儿，方圆十里以内最漂亮的姑娘。我并不显出对她特别感兴趣，装出不在意的样子打听她是不是经常参加节庆和晚会，是不是又新来了一些追求者；而如果有人要问我，像我这样一个山沟里的牧童打听这些事情有什么用，那我就会回答说，我已经廿岁了，丝苔法内特是我一生中所见过的最美的姑娘。

可是，有一次碰上礼拜日，那一天粮食来得特别迟。当天早晨，我就想："今天望弥撒，一定会耽误给我送粮来"；接着，将近中午的时候，下了一场暴雨，我猜，路不好走，驴子一定还没有出发。最后，大约在下午三点钟的光景，天空洗涤得透净，满山的水珠映照着阳光，闪闪发亮，在叶丛的滴水声和山溪的涨溢声之中，我突然听见驴子的铃铛在响，它响得那么欢腾，就像复活节的钟群齐鸣一样。但骑驴来的不是那个小伙计，也不是诺拉德老婶。而是……瞧清楚是谁!我的孩子们哟，是我们的姑娘!她亲自来了，她端端正正坐在柳条筐之间，山上的空气和暴风雨后的清凉，使她脸色透红，就像一朵玫瑰。

小伙计病了，诺拉德婶娘到孩子家度假去了。漂亮的丝苔法内特一边从驴背上跳下来，一边告诉我，还说，她迟到了，是因为在途中迷了路；但是，瞧她那一身节日打扮，花丝带，鲜艳的裙子和花边，哪里像刚在荆棘丛里迷了路，倒像是从舞会上回来得这么迟。啊，这个娇小可爱的姑娘!我一双眼睛怎么也看她不厌，我从来没有离这么近地看过她。在冬天，有那么几回，当羊群下到了平原，我回田庄吃晚饭的时候，她很快地穿过厅堂，从不和下人说话，总是打扮得漂漂亮亮，显得有一点骄傲……而现在，她就在我的面前，完全为我而来；这怎么不叫我有些飘飘然?

她从篮筐里把粮食拿出来后，马上就好奇地观察她的周围。她轻轻把漂亮的裙子往上提了提，免得把它弄脏，走进了

"栏圈"，想看看我睡觉的那个角落，稻草床、铺在上面的羊皮、挂在墙上的大斗篷、我的牧杖和我的火石枪，她看着这一切很开心。

——那么，你就住在这里罗，我可怜的牧童?你老是一个人呆在这里该多烦啦!你干些什么?你想些什么?

我真想回答说："想你，女主人"，而我又撒不出谎来；我窘得那么厉害，简直找不出一句话来说。我相信她一定是看出来了，而且这个坏家伙还很开心地用她那股狡猾劲来使我窘得更厉害：

——你的女朋友呢，牧童，她有时也上山来看你吗?……她一定就是金山羊，要不然就是只在山巅上飞来飞去的仙子埃丝泰蕾尔……

而她自己，她在跟我说话的时候，仰着头，带着可爱的笑容和急于要走的神气，那才真像是埃丝泰蕾尔下了凡、仙姿一现哩。

——再见，牧童。

——女主人，你一路上好。

于是，她走了，带着她的空篮子。

当她在山坡的小路上消失的时候，我似乎觉得驴子蹄下滚动的小石子，正一颗一颗掉在我的心上。我好久好久听着它们的响声；直到太阳西沉，我还像在做梦一样呆在那里，一动也不敢动，唯恐打破我的幻梦。傍晚时分，当山谷的深处开始变成蓝色，羊群咩叫着回到栏圈的时候，我听见有人在山坡下叫我，接着就看见我们的姑娘又出现了，这回她可不像刚才那样欢欢喜喜，而是因为又冷又怕身上又湿正在打颤，显然她在山下碰上了索尔克河暴雨之后涨水，在强渡的时候差一点被淹没了。可怕的是，在这夜晚的时候，不能设想还能回到田庄了，因为抄近的小路，我们的姑娘一个人怎么也不会找到，而我，我又不能离开羊群。要在山上过夜这个念头使她非常懊恼，我尽量地使她安心：

——在七月份，夜晚很短，女主人……这只是一小段不好的时光。

我马上燃起了一大堆火，好让她烤干她的脚和她一身被索尔克河的水湿透了的外衣。接着，我又把牛奶和羊奶酪端到她的面前；但是这个可怜的小姑娘既不想暖一暖，也不想吃东西，看着她流出了大颗大颗的泪珠，我自己也想哭了。

夜幕已经降临。只有一丝夕阳还残留在山巅之上。我请姑娘进到“栏圈”去休息。我把一张崭新漂亮的羊皮铺在新鲜的稻草上，祝她晚上睡得好之后，就走了出来坐在门口……上帝可以作证，虽然爱情的烈火把我身上的血都烧起来了，可我没有起半点邪念；我想着：东家的女儿就躺在这个栏圈的一角，靠着那些好奇地看着她熟睡的羊群，就像一只比它们更洁白更高贵的绵羊，而她睡在那里完全是信赖我的守护，这么想着，我只感到一种无比的骄傲。我这时觉得，天空从来没有这么深沉，群星也从来没有这么明亮……突然，“栏圈”的栅门打开了，美丽的丝苔法内特出来了。她睡不着。羊儿的动弹使稻草发响，它们在梦里又发出叫声。她宁愿出来烤烤火。看她来了，我赶快把自己身上的山羊皮披在她肩上，又把火拨得更旺些。我俩就这样靠在一起坐着，什么话也不讲。如果你曾经在迷人的星空之下过过夜，你当然知道，正当人们熟睡的时候，在夜的一片寂静之中，一个神秘的世界就开始活动了。这时，溪流歌唱得更清脆，池塘也闪闪发出微光。山间的精灵来来往往，自由自在，微风轻轻，传来种种难以察觉的声音。似乎可以听见枝叶在吐芽，小草在生长。白天，是生物的天地，夜晚，就是无生物的天地了。要是一个人不经常在星空下过夜，夜会使他感到害怕……所以我们的姑娘一听见轻微的声响，就战栗起来。紧紧往我身上靠。有一次，从下方闪闪发亮的池塘发出了一声凄凉的长啸，余音缭绕，直向我们传来。这时，一颗美丽的流星越过我们头顶坠往啸声的方向，似乎我们刚才听见的那声音还携带着一道亮光。

——这是什么?丝苔法内特轻声问我。

——女主人，这是一个灵魂进入了天国，我回答她，划了一个十字。

她也划了一个十字，抬着头，凝神了一会，对我说:

——这是真的吗?牧童，你懂巫术吗?你们这些人都懂吗?

——没有的事!我的小姐。不过，我们住在这里离星星比较近，所以对天上发生的事比山下的人知道得更清楚。

她一直望着天空，用手支着脑袋，身上裹着羊皮，就像天国里的一个小牧童。

——瞧!那么美!我从来没有见过这么多星星……牧童，你知道这些星星的名字吗?

—— 知道，小姐……你瞧，在我们头顶上的是“圣——雅克之路”(银河)。它从法国直通西班牙。再远一点，你可以看见“灵魂之车”(大熊星座)和它四个明亮的车轴。走在前面的三颗星是三头牲口，对着第三颗的那一颗很小的星星，就是车夫。你看见周围那一大片散落的小星吗?那都是仁慈的上帝不愿意接纳进天国的灵魂……稍微低一点，那是“耙子”，或者又叫“三王”，这个星座可以给我们牧人们当时钟，我现在只要一望它，就知道已过了午夜时分，再稍微低一点，老是朝着南方的是“米兰的约翰”，它闪闪发亮，是群星的火炬(天狼星)。我给你讲讲我们牧人对它的传说。有一天夜里，“米兰的约翰”和“三王”以及北极星(昴星)，被邀请去参加他们朋友的婚礼。“北极星”急急忙忙从上面那条路先出发了。“三王”从下面那条路抄近追上了它；但“米兰的约翰”这个懒家伙，它睡得很迟才起来，一直就落在后头，它很恼火，为了要阻止他的两个同伴，就把自己的拐杖向它们扔去。所以，“三王”又叫作“米兰的约翰的拐杖”……不过，所有这些星星中最美的一颗，是我们自己的星，那就是“牧童的星”，每天清晨，当我们赶出羊群的时候，它照着我们，到晚上，当我们驱回羊群的时候，它也照着我们。我们还把它叫作玛凯洛纳，美丽的玛凯洛纳追在“普罗旺斯的波埃尔”(土星)的后面，每隔七年就跟他结一次婚。

——怎么!牧童，星星之间也有结婚的事?

——是有，小姐。

正当我想要向她解释星星结婚是怎么回事的时候，我感到有样清凉而柔细的东西轻轻地压在我的肩上。原来是她的头因为瞌睡而垂了下来，那头上的丝带、花边和波浪似的头发还轻柔可爱地紧挨着我。她就这样一动也不动，直到天上的群星发白、在初升的阳光中消失的时候。而我，我瞧着她睡着了，心里的确有点激动，但是，这个皎洁的夜晚只使我产生一些美好的念头，我得到了它圣洁的守护。在我们周围，群星静静地继续它们的行程，柔顺得像羊群一样；我时而这样想象：星星中那最秀丽、最灿烂的一颗，因为迷了路，而停落在我的肩上睡着了……

愿我们彼此微笑

林徽因

朋友又见面了，点点头笑笑，彼此晓得这一年不比往年，彼此是同增了许多经验。个别地说，这时间中每一人的经历虽都有特殊的形象，含着特殊的滋味，需要个别的情绪来分析来描述。

综合地说，这许多经验却是一整片仿佛同式同色，同大小，同分量的迷惘。你触着那一角，我碰上这一头，归根还是那一片迷惘笼罩着彼此。七月！——这两字就如同史歌的开头那么有劲——八月，九月带来了那狂风，后来，后来过了年，——那无法忘记的除夕！——又是那一月，二月，三月，到了七月，再接再厉的又到了年夜。现在又是一月二月在开始……谁记得最清楚，这串日子是怎样地延续下来，生活如何地变？想来彼此都不会记得过分清晰，一切都似乎在迷离中旋转，但谁又会忘掉那么切肤的重重忧患的网膜？

经过炮火或流浪的洗礼，变换又变换的日月，难道彼此脸上没有一点记载这经验的痕迹？但是当整一片国土纵横着创痕，大家都是“离散而相失……去故乡而就远”，自然“心婵媛而伤怀兮，眇不知其所蹠”，脸上所刻那几道并不使彼此惊讶，所以还只是笑笑好。口角边常添几道酸甜的纹路，可以帮助彼此咀嚼生活。何不默认这一点：在迷惘中人最应该有笑，这种的笑，虽然是敛住神经，敛住肌肉，仅是毅力的后背，它却是必需的，如同保护色对于许多生物，是必需的一样。

那一晚在××江心，某一来船的甲板上，热臭的人丛中，他记起他那时的困顿饥渴和狼狈，旋绕他头上的却是那真实倒如同幻象，幻象又成了真实的狂敌杀人的工具，敏捷而近代型的飞机：美丽得像鱼像鸟……这里黯然的一掬笑是必需的，因为同样的另外一个人懂得那原始的骤然唤起纯筋肉反射作用的恐怖。他也正在想那时他在××车站台上露宿，天上有月，左右有人，零落如同被风雨摧落后的落叶，瑟索地蜷伏着，他们心里都在回味那一天他们所初次尝到的敌机的轰炸！谈话就可以这样无限制地延长，因为现在都这样的记忆，——比这样更辛辣苦楚的——在各人心里真是太多了！随便提起一个地名大家所熟悉的都会或商埠，随着全会涌起怎样的一个最后印象！

再说初入一个陌生城市的一天，——这经验现在有多普遍——尤其是在夜间，这里就把个别的情形和感触除外，在大家心底曾留下的还不是一剂彼此都熟识的清凉散？苦里带涩，那滋味侵入脾胃时，小小的冷噤会轻轻在背脊上爬过，用不着丝毫锐性的感伤！也许他可以说他在那夜进入某某城内时，看到一列小店门前凄惶的灯，黄黄的发出奇异的晕光，使他嗓子里如梗着刺，感到一种发紧的触觉。你所记得的却是某一号车站后面黯白的煤气灯射到陌生的街心里，使你心里好像失落了什么。

那陌生的城市，在地图上指出时，你所经过的同他所经过的也可以有极大的距离，你同他当时的情形也可以完全的不相同。但是在这里，个别的异同似乎非常之不相干；相干的仅是你我会彼此点头，彼此会意，于是也会彼此地笑笑。

七月在卢沟桥与敌人开火以后，纵横中国土地上的脚印密密地衔接起来，更加增了中国地域广漠的证据。每个人参加过这广漠地面上流转的大韵律的，对于尘土和血，两件在寻常不多为人所理会的，极寻常的天然素质，现在每人在他个别的角上，对它们都发生了莫大亲切的认识。每一寸土，每一滴血，这种话，已是可接触，可把持的十分真实的事物，不仅是一句话一个“概念”而已。

在前线的前线，兴奋和疲劳已掺拌着尘土和血另成一种生活的形体魂魄。睡与醒中间，饥与食中间，生和死中间，距离短得几乎不存在！生活只是一股力，死亡一片沉默的恨，事情简单得无可再简单。尚在生存着的，继续着是力，死去的也继续着堆积成更大的恨。恨又生力，力又变恨，惘惘地却勇敢地循环着，其他一切则全是悬在这两者中间悲壮热烈地穿插。

在后方，事情却没有如此简单，生活仍然缓弛地伸缩着；食宿生死间距离恰像黄昏长影，长长的，尽向前引伸，像要扑入夜色，同夜溶成一片模糊。在日夜宽泛的循回里于是穿插反更多了，真是天地无穷，人生长勤。生之穿插零乱而琐屑，完全无特殊的色泽或轮廓，更不必说英雄气息壮烈成分。斑斑点点仅像小血锈凝在生活上，在你最不经意中烙印生活。如果你有志不让生活在小处窳败，逐渐减损，由锐而钝，由张而弛，你就得更感谢那许多极平常而琐碎的摩擦，无日无夜地透过你的神经，肌肉或意识。这种时候，叹息是悬起了，因一切虽然细小，却绝非从前所熟识的感伤。每件经验都有它粗壮的真实，没有叹息的余地。口边那酸甜的纹路是实际哀乐所刻画而成，是一种坚忍韧性的笑。因为生活既不是简单的火焰时，它本身是很沉重，需要韧性地支持，需要产生这韧性支持的力量。

现在后方的问题，是这种力量的源泉在哪里？决不凭着平日均衡的理智，——那是不够的，天知道！尤其是在这时候，情感就在皮肤底下“踊跃其若汤”，似乎它所需要的是超理智的冲动！现在后方被缓的生活，紧的情感，两面摩擦得愁郁无快，居戚戚而不可解，每个人都可以苦恼而又热情地唱“终长夜之曼曼兮，掩此哀而不去，”或“宁溘死而流亡兮，不忍为此之常愁！”支持这日子的主力在哪里呢？你我生死，就不检讨它的意义以自大。也还需要一点结实的凭借才好。

我认得有个人，很寻常地过着国难日子的寻常人，写信给他朋友说，他的嗓子虽然总是那么干哑，他却要哑着嗓子私下告诉他的朋友：他感到无论如何在这时候，他为这可爱的老国家带着血活着，或流着血或不流着血死去，他都觉到荣耀，异乎寻常的，他现在对于生与死都必然感到满足。这话或许可以在许多心弦上叩起回响，我常思索这简单朴实的情感是从哪里来的。信念？像一道泉流透过意识，我开始明了理智同热血的冲动以外，还有个纯真的力量的出处。信心产生力量，又可储蓄力量。

信仰坐在我们中间多少时候了，你我可曾觉察到？信仰所给予我们的力量不也正是那坚忍韧性的倔强？我们都相信，我们只要都为它忠贞地活着或死去，我们的大国家自会永远地向前迈进，由一个时代到又一个时代。我们在这生是如此艰难，死是这样容易的时候，彼此仍会微笑点头的缘故也就在这里吧？现在生活既这样的彼此患难同味，这信心自是，我们此时最主要的联系，不信你问他为什么仍这样硬朗地活着，他的回答自然也是你的回答，如果他也问你。

信仰坐在我们中间多少时候了？那理智热情都不能代替的信心！

思索时许多事，在思流的过程中，总是那么晦涩，明了时自己都好笑所想到的是那么简单明显的事实！此时我拭下额汗，差不多可以意识到自己口边的纹路，我尊重着那酸甜的笑，因为我明白起来，它是力量。

话不用再说了，现在一切都是这么彼此，这么共同，个别的情绪这么不相干。当前的艰苦不是个别的，而是普遍的，充满整一个民族，整一个时代！我们今天所叫作生活的，过后它便是历史。客观的无疑我们彼此所熟识的艰苦正在展开一个大时代。所以别忽略了我们现在彼此地点点头。且最好让我们共同酸甜的笑纹，有力地，坚韧地，横过历史。

这个时代是我们的

林徽因

活在这非常富于刺激性的年头里，我敢喘一口气说，我相信一定有多数人成天里为观察听闻到的，牵动了神经，从跳动而有血裹着的心底下累积起各种的情感，直冲出嗓子，逼成了语言到舌头上来。这自然丰富的累积，有时更会倾溢出少数人的唇舌，再奔进到笔尖上，另具形式变成在白纸上驰骋的文字。这种文字便全是我们这个时代的出产，大家该千万珍视它！

现在，无论在哪里，假如有一个或多种的机会，我们能把许多这种自然触发出来的文字，交出给同时代的大众见面，因而或能激动起更多方面，更复杂的情感，和由这情感而形成更多方式的文字；一直造成了一大片丰富而且有力的创作的田壤，森林，江山……产生结结实实的我们这个时代特有的表情和文章；我们该不该诚恳地注意到这机会或能造出的事业，各人将各人的一点点心血献出来尝试？

假使，这里又有了机会联聚起许多人，为要介绍许多方面的文字，更进而研讨文章的质的方面；或指出以往文章的历程，或讲究到各种文章上比较的问题，进而无形地讲究到程度和标准等问题，我又敢相信，在这种景况下定会发生更严重鼓励写作的主动力。使创作界增加问题，或许。惟其是增加了问题，才助益到创造界的活泼和健康。文艺绝不是蓬勃丛生的野草。

我们可否直爽地承认一桩事？创作的鼓动时常要靠着刊物把它的成绩布散出去吹风，晒太阳，和时代的读者把晤的。被风吹冷了，太阳晒萎了，固常有的事。被读者所欢迎，所冷淡，或误会，或同情，归根应该都是激动创造力的药剂！至于，一来就高举趾，二来就气馁的作者，每个时代都免不了有他们起落踪迹。这个与创作界主体的展动只成枝节问题。哪一个创作兴旺的时代缺得了介绍散布作品的刊物，同那或能同情，或不了解的读众？

创作品是不能不与时代见面的，虽然作者的名姓，则并不一定。伟大作品没有和本时代见面，而被他时代发现珍视的固然有，但也只是偶然例外的事。希腊悲剧是在几万人前面唱演的，莎士比亚的戏更是街头巷尾的粗人都看得到的。到有刊物时代的欧洲，更不用说，一首诗文出来人人争买着看，就是中国在印刷艰难的时候，也是什么“传诵一时”；什么“人手一抄”等……

创作的主力固在心底，但逼迫着这只有时间性的情绪语言而留它在空间里的，却常是刊物这一类的鼓励和努力所促成。

现走遍人间是能刺激起创作的主力。尤其在中国，这种日子，那一副眼睛看到了些什么，舌头底下不立刻紧急地想说话，乃至于歌泣！如果创作界仍然有点消沉寂寞的话——努力的少，尝试的稀罕——那或是有别的缘故而使然。我们问：能鼓励创作界的活跃性的是些什么？刊物是否可以救济这消沉的？努力过刊物的诞生的人们，一定知道刊物又时常会因为别的复杂原因而夭折的。它常是极脆嫩的孩儿……那么有创作冲动的笔锋，努力于刊物的手臂，此刻何不联在一起，再来一次合作逼着创造界又挺出一个新鲜的萌芽！管它将来能不能成田壤，成森林，成江山，一个萌芽是一个萌芽。脆嫩？惟其是脆嫩，我们大家才更要来爱护它。

这时代是我们特有的，结果我们单有情感而没有表现这情绪的艺术，眼看着后代人笑我们是黑暗时代的哑子，没有艺术，没有文章，乃至于怀疑到我们有没有情感！

回头再看到祖宗传流下那神气的衣钵，怎不觉得惭愧！说世乱，杜老头子过的是什么日子！辛稼轩当日的愤慨当使我们同情！……何必诉，诉不完。难道现在我们这时代没有形形色色的人物，喜剧悲剧般的人生作题？难道我们现时没有美丽，没有风雅，没有丑陋，恐慌，没有感慨，没有希望？！难道连经这些天灾战祸，我们都不会描述，身受这许多刺骨的辱痛，我们都不会愤慨高歌迸出一缕滚沸的血流？！

难道我们真麻木了不成？难道我们这时代的语辞真贫穷得不能达意？难道我们这时代真没有学问真没有文章？！朋友们努力挺出一根活的萌芽来，记着这个时代是我们的。

在最美的年华去旅行

梁实秋

我们中国人是最怕旅行的一个民族。闹饥荒的时候都不肯轻易逃荒，宁愿在家乡吃青草啃树皮吞观音土，生怕离乡背井之后，在旅行中流为饿莩，失掉最后的权益——寿终正寝。至于席丰履厚的人更不愿轻举妄动，墙上挂一张图画，看看就可以当“卧游”，所谓“一动不如一静”。说穿了“太阳下没有新鲜事物”。号称山川形胜，还不是几堆石头一汪子水？我记得做小学生的时候，郊外踏青，是一桩心跳的事，多早就筹备，起个大早，排成队伍，擎着校旗，鼓乐前导，事后下星期还得作一篇《远足记》，才算功德圆满。旅行一次是如此的庄严！我的外祖母，一生住在杭州城内，八十多岁，没有逛过一次西湖，最后总算去了一次，但是自己不能行走，抬到了西湖，就没有再回来——葬在湖边山上。

古人云，“一生能着几两屐？”这是劝人及时行乐，莫怕多费几双鞋。但是旅行果然是一桩乐事吗？其中是否含着有多少苦恼的成分呢?

出门要带行李，那一个几十斤重的五花大绑的铺盖卷儿便是旅行者的第一道难关。要捆得紧，要捆得俏，要四四方方，要见棱见角，与稀松露馅的大包袱要迥异其趣，这已经就不是一个手无缚鸡之力的人所能胜任的了。关卡上偏有好奇人要打开看看，看完之后便很难得再复原。“乘兴而来，兴尽而返。”很多人在打完铺盖卷儿之后就觉得游兴已尽了。在某些国度里，旅行是不需要携带铺盖的，好像凡是有床的地方就有被褥、有被褥的地方就有随时洗换的被单，——旅客可以无牵无挂，不必像蜗牛似的顶着安身的家伙走路。携带铺盖究竟还容易办得到，但是没听说过带着床旅行的，天下的床很少没有臭虫设备的。我很怀疑一个人于整夜输血之后，第二天还有多少精神游山逛水。我有一个朋友发明了一种服装，按着他的头躯四肢的尺寸做了一件天衣无缝的睡衣，人钻在睡衣里面，只留眼前两个窟窿，和外界完全隔绝，——只是那样子有些像是ＫＫＫ，夜晚出来曾经几乎吓死一个人!

原始的交通工具，并不足为旅客之苦。我觉得“滑竿”“架子车”都比飞机有趣。“御风而行，泠然善也”，那是神仙生涯。在尘世旅行，还是以脚能着地为原则。我们要看朵朵的白云，但并不想在云隙里钻出钻进；我们要“横看成岭侧成峰，远近高低各不同”，但并不想把世界缩成假山石一般玩物似的来欣赏。我惋惜米尔顿所称述的中土有“挂帆之车”尚不曾坐过。交通工具之原始不是病，病在于舟车之不易得，车夫舟子之不易缠，“衣帽自看”固不待言，还要提防青纱帐起。刘伶“死便埋我”，也不是准备横死。

旅行虽然夹杂着苦恼，究竟有很大的乐趣在。旅行是一种逃避，——逃避人间的丑恶。“大隐藏人海”，我们不是大隐，在人海里藏不住。岂但人海里安不得身，在家园也不容易遁迹。成年地圈在四合房里，不必仰屋就要兴叹，成年地看着家里的那一张脸，不必牛衣也要对泣。家里面所能看见的那一块青天，只有那么一大块。取之不尽用之不竭的清风明月，在家里都不能充分享用，要放风筝需要举着竹竿爬上房脊，要看日升月落需要左右邻居没有遮拦。走在街上，熙熙攘攘，磕头碰脑的不是人面兽，就是可怜虫。在这种情形之下，我们虽无勇气披发入山，至少为什么不带着一把牙刷捆起铺盖出去旅行几天呢？在旅行中，少不了风吹雨打，然后倦飞知还，觉得“在家千日好，出门一时难”，这样便可以把那不可容忍的家变成为暂时可以容忍的了。下次忍耐不住的时候，再出去旅行一次。如此地折腾几回，这一生也就差不多了。

旅行中没有不感觉枯寂的，枯寂也是一种趣味。哈兹利特（Hszlitt）主张在旅行时不要伴侣，因为：“如果你说路那边的一片豆田有股香味，你的伴侣也许闻不见。如果你指着远处的一件东西，你的伴侣也许是近视的，还得戴上眼镜看。”一个不合意的伴侣，当然是累赘。但是人是个奇怪的动物，人太多了嫌闹，没人陪着嫌闷。耳边嘈杂怕吵，整天咕嘟着嘴又怕口臭。旅行是享受清福的时候，但是也还想拉上个伴。只有神仙和野兽才受得住孤独。在社会里我们觉得面目可憎语言无味的人居多，避之唯恐或晚，在大自然里又觉得人与人之间是亲切的。到美国落矶山上旅行过的人告诉我，在山上若是遇见另一个旅客，不分男女老幼，一律脱帽招呼，寒暄一两句。这是很有意味的一个习惯。大概只有在旷野里我们才容易感觉到人与人是属于一门一类的动物，平常我们太注意人与人的差别了。

真正理想的伴侣是不易得的，客厅里的好朋友不见得即是旅行的好伴侣，理想的伴侣须具备许多条件，不能太脏，如嵇叔夜“头面常一月十五日不洗，不太闷痒不能沐”，也不能有洁癖，什么东西都要用火酒揩，不能如泥塑木雕，如死鱼之不张嘴，也不能终日喋喋不休，整夜鼾声不已，不能油头滑脑，也不能蠢头呆脑，要有说有笑，有动有静，静时能一声不响地陪着你看行云，听夜雨，动时能在草地上打滚像一条活鱼！这样的伴侣那里去找？

女人都是外星人

梁实秋

有人说女人喜欢说谎；假如女人所捏撰的故事都能抽取版税，便容易致富。这问题在什么叫说谎。若是运用小小的机智，打破眼前小小的窘僵，获取精神上小小的胜利，因而牺牲一点点真理，这也可以算是说谎，那么，女人确是比较地富于说谎的天才。有具体的例证。你没有陪过女人买东西吗？尤其是买衣料，她从不干干脆脆地说要做什么衣，要买什么料，准备出多少钱。她必定要东挑西拣，翻天覆地，同时口中念念有词，不是嫌这匹料子太薄，就是怪那匹料子花样太旧，这个不禁洗，那个不禁晒，这个缩头大，那个门面窄，批评得人家一文不值。其实，满不是这么一回事，她只是嫌价码太贵而已！如果价钱便宜，其他的缺点全都不成问题，而且本来不要买的也要购储起来。一个女人若是因为炭贵而不生炭盆，她必定对人解释说："冬天生炭盆最不卫生，到春天容易喉咙痛！"屋顶渗漏，塌下盆大的灰泥，在未修补之前，女人便会向人这样解释："我预备在这地方装安电灯。"自己上街买菜的女人，常常只承认散步和呼吸新鲜空气是她上市的唯一理由。艳羡汽车的女人常常表示她最厌恶汽油的臭味。坐在中排看戏的女人常常说前排的头等座位最不舒适。一个女人馈赠别人，必说：“实在买不到什么好的……”其实这东西根本不是她买的，是别人送给她的。一个女人表示愿意陪你去上街走走，其实是她顺便要买东西。总之，女人总喜欢拐弯抹角地放一个小小的烟幕，无伤大雅，颇占体面。这也是艺术，王尔德不是说过“艺术即是说谎”么？这些例证还只是一些并无版权的谎话而已。

女人善变，多少总有些哈姆雷特式，拿不定主意；问题大者如离婚结婚，问题小者如换衣换鞋，都往往在心中经过一读二读三读，决议之后再复议，复议之后再否决，女人决定一件事之后，还能随时做一百八十度的大转弯，做出那与决定完全相反的事，使人无法追随。因为变得急速，所以容易给人以“脆弱”的印象，沙士比亚有一名句：“‘脆弱’呀，你的名字叫作‘女人’！”但这脆弱，并不永远使女人吃亏。越是柔韧的东西越不易摧折。女人不仅在决断上善变，即便是一个小小的别针位置也常变，午前在领扣上，午后就许移到了头发上。三张沙发，能摆出若干阵势；几根头发，能梳出无数花头。讲到服装，其变化之多，常达到荒谬的程度。外国女人的帽子，可以是一根鸡毛，可以是半只铁锅，或是一个畚箕。中国女人的袍子，变化也就够多，领子高的时候可以使她像一只长颈鹿，袖短的时候恨不得使两腋生风，至于纽扣盘花，滚边镶绣，则更加是变幻莫测。“上帝给她一张脸，她能另造一张出来。”“女人是水做的”，是活水，不是止水。

女人善哭。从一方面看，哭常是女人的武器，很少人能抵抗她这泪的洗礼。俗语说：“一哭二睡三上吊”，这一哭确实其势难当。但从另一方面看，哭也常是女人的内心的“安全瓣”。女人的忍耐的力量是伟大的，她为了男人，为了小孩，能忍受难堪的委曲。女人对于自己的享受方面，总是属于“斯多亚派”的居多。男人不在家时，她能立刻变成为素食主义者，火炉里能爬出老鼠，开电灯怕费电，再关上又怕费开关。平素既已极端刻苦，一旦精神上再受刺激，便忍无可忍，一腔悲怨天然地化做一把把的鼻涕眼泪，从“安全瓣”中汩汩而出，腾出空虚的心房，再来接受更多的委曲。女人很少破口骂人（骂街便成泼妇，其实甚少），很少揎袖挥拳，但泪腺就比较发达。善哭的也就常常善笑，迷迷的笑，吃吃的笑，格格的笑，哈哈的笑，笑是常驻在女人脸上的，这笑脸常常成为最有效的护照。女人最像小孩，她能为了一个滑稽的姿态而笑得前仰后合，肚皮痛，淌眼泪，以至于翻筋斗！哀与乐都像是常川有备，一触即发。

女人的嘴，大概是用在说话方面的时候多，女孩子从小就往往口齿伶俐，就是学外国语也容易琅琅上口，不像嘴里含着一个大舌头。等到长大之后，三五成群，说长道短，声音脆，嗓门高，如蝉噪，如蛙鸣，真当得好几部鼓吹！等到年事再长，万一堕入“长舌”型，则东家长，西家短，蜚短流长，搬弄多少是非，惹出无数口舌；万一堕入“喷壶”型，则琐碎繁杂，絮聒唠叨，一件事要说多少回，一句话要说多少遍，如喷壶下注，万流齐发，当者披靡，不可向迩！一个人给他的妻子买一件皮大衣，朋友问他“你是为使她舒适吗？”那人回答说：“不是，为使她少说些话！”

女人胆小，看见一只老鼠而当场昏厥，在外国不算是闻。中国女人胆小不至如此，但是一声霹雷使得她拉紧两个老妈子的手而仍战栗不止，倒是确有其事。这并不是做作，并不是故意在男人面前做态，使他有机会挺起胸脯说：“不要怕，有我在！”她是真怕。在黑暗中或荒僻处，没有人，她怕；万一有人，她更怕！屠牛宰羊，固然不是女人的事，杀鸡宰鱼，也不是不费手脚，胆小的缘故，大概主要的是体力不济，女人的体温似乎较低一些。有许多女人怕发胖而食无求饱，营养不足，再加上怕臃肿而衣裳单薄，到冬天瑟瑟打战，袜薄如蝉翼，把小腿冻得作“浆米藕”色，两只脚放在被里一夜也暖不过来，双手捧热水袋，从八月捧起，捧到明年五月，还不忍释手，抵抗饥寒之不暇，焉能望其胆大 。

女人的聪明，有许多不可及处，一根棉线，一下子就能穿入针孔，然后一下子就能在线的尽头处打上一个结子，然后扯直了线在牙齿上砰砰两声，针尖在头发上擦抹两下，便能开始解决许多在人生中并不算小的苦恼，例如缝上衬衣的扣子，补上袜子的破洞之类。至于几根篾棍，一上一下地编出多少样物事，更是令人叫绝。有学问的女人，创辟“沙龙”，对任何问题能继续谈论至半小时以上，不但不令人入睡，而且令人疑心她是内行。

秋夜

鲁迅

在我的后园，可以看见墙外有两株树，一株是枣树，还有一株也是枣树。

这上面的夜的天空，奇怪而高，我生平没有见过这样奇怪而高的天空。他仿佛要离开人间而去，使人们仰面不再看见。然而现在却非常之蓝，闪闪地映着几十个星星的眼，冷眼。他的口角上现出微笑，似乎自以为大有深意，而将繁霜洒在我的园里的野花草上。

我不知道那些花草真叫什么名字，人们叫他们什么名字。我记得有一种开过极细小的粉红花，现在还开着，但是更极细小了，她在冷的夜气中，瑟缩地做梦，梦见春的到来，梦见秋的到来，梦见瘦的诗人将眼泪擦在她最末的花瓣上，告诉她秋虽然来，冬虽然来，而此后接着还是春，蝴蝶乱飞，蜜蜂都唱起春词来了。她于是一笑，虽然颜色冻得红惨惨地，仍然瑟缩着。

枣树，他们简直落尽了叶子。先前，还有一两个孩子来打他们别人打剩的枣子，现在是一个也不剩了，连叶子也落尽了。他知道小粉红花的梦，秋后要有春；他也知道落叶的梦，春后还是秋。他简直落尽叶子，单剩干子，然而脱了当初满树是果实和叶子时候的弧形，欠伸得很舒服。但是，有几枝还低压着，护定他从打枣的竿梢所得的皮伤，而最直最长的几枝，却已默默地铁似的直刺着奇怪而高的天空，使天空闪闪地鬼睒眼；直刺着天空中圆满的月亮，使月亮窘得发白。

鬼睒眼的天空越加非常之蓝，不安了，仿佛想离去人间，避开枣树，只将月亮剩下。然而月亮也暗暗地躲到东边去了。而一无所有的干子，却仍然默默地铁似的直刺着奇怪而高的天空，一意要制他的死命，不管他各式各样地睒着许多蛊惑的眼睛。

哇地一声，夜游的恶鸟飞过了。

我忽而听到夜半的笑声，吃吃地，似乎不愿意惊动睡着的人，然而四围的空气都应和着笑。夜半，没有别的人，我即刻听出这声音就在我嘴里，我也即刻被这笑声所驱逐，回进自己的房。灯火的带子也即刻被我旋高了。

后窗的玻璃上丁丁地响，还有许多小飞虫乱撞。不多久，几个进来了，许是从窗纸的破孔进来的。他们一进来，又在玻璃的灯罩上撞得丁丁地响。一个从上面撞进去了，他于是遇到火，而且我以为这火是真的。两三个却休息在灯的纸罩上喘气。那罩是昨晚新换的罩，雪白的纸，折出波浪纹的迭痕，一角还画出一枝猩红色的栀子。

猩红的栀子开花时，枣树又要做小粉红花的梦，青葱地弯成弧形了……我又听到夜半的笑声；我赶紧砍断我的心绪，看那老在白纸罩上的小青虫，头大尾小，向日葵子似的，只有半粒小麦那么大，遍身的颜色苍翠得可爱，可怜。

我打一个呵欠，点起一支纸烟，喷出烟来，对着灯默默地敬奠这些苍翠精致的英雄们。

阳光广场

郁达夫

阳光广场是个迷乱晕沉的地方。从亚北开发区长满黄金的地下轰然伸出两只巨手，胡乱抓下块天空，摩肩接踵的浮华就闻风而至，交融，缠绕，气喘吁吁，堆塑出风姿淋漓的现代宫殿。每次经过我都呼吸急促，充满莫名的热情。它太漂亮，所以邪恶。褐红的四壁从天上浇泼下来，几千扇宝蓝色单面透光玻璃后正隐藏着同一个欲望故事。紫色绸缎橙色气球呼啦啦地碰撞着，空气中仿佛有闪电在流淌。不锈钢门拱巨大，雪亮，压迫着蚂蚁般的人群。顺着大理石铺就近百米的台阶，走到站满古罗马雕塑的中央，才发现可以俯望整个城市。城市很脏，污染着春情。气质优雅的侍应生伸出雪白手套，为持卡贵族指领进入各种高级场所的便道，衣着光鲜的女郎继续朝我抛洒玫瑰花瓣，她的百褶裙也像她周围人的发带，闪烁着自豪的金色。她是不是也看出我需要更美丽的情人，更优裕的生活，更晴空万里的心境?

俊彩星驰，鲜衣怒马，才华可以带来这些，我深信不疑。我要每天沉浸在阳光广场的风采里，等待理所当然的艳遇；要让每一扇彩色玻璃投射的阴影，沐浴我虚伪的忧郁，这是女人们在无所事事时愿意看见的；我要日进斗金，维持最豪华的开销；要全身上下名牌凛凛，须臾呼吸都散发上流社会的夜生活香水味。我的要求很低下，我的渴望很庸俗，我的现实还差着一点，这让我烦恼。因为我现在在这里。在阳光广场。我必须这样。

我的形象是蓝天白云的，没有多少人能抵挡，尤其是那些神秘慵懒的女子。我的歌声是无孔不入的，能把每片寂寞的心搅拌得一片浑噩。我要拥有真正富翁的风度，以及真正贵族的苍白，冷漠，心不在焉。我要永远不再为生活受累，有人要提前给我精心准备。我要尽情享乐，从最奢侈的盛宴到最完美的音乐。我不相信只要很少的物质就能安静下来做我想做的一切。我要得到更多，因为别人得到过。这就是我在阳光广场的真实想法，我毫不避讳，并且津津乐道，不以为耻。

谁来点穿我的秘密？

我紧握着十年辛劳，穿筋蚀骨的疲惫，我强挺着苦熬的长夜，紊乱的睡眠神经。我愤世嫉俗，骄傲而狂躁，内心却充满软弱。我总难以面对现实，感觉生活在一切的边缘。圈子如此残酷，如此淫靡，我要用服从签下一张简单的收条，走进这里任意一个美丽的房间。我忘了曾经妥协过多少，还残存了多少自己。

风玩弄着表情模糊的雕塑，发出一种暧昧的呜咽。我静静坐在广场唯一的青玉门拱下。雪白的侍者又过来小心问候，我挥一挥手，让他走开。金色发带的玫瑰仕女那么可爱，我盘算着邀请她去喝点什么，再让她开始我以下的故事。打断我的是个粉白的婴儿，正指着一堆篝火嘻嘻地笑。几个祭司打扮的黑色身影随即飞奔过去。远处响起一丝空旷的牛角号声。谁也不能知道我的来历，如同不知道眼前这些超现实色块拼凑起来的人影，背景在真相来临之前都含有几分险恶。当最忠诚的东西再也无法守护心灵，我就必须从华贵的缝隙中欣然进入另一世界，虚幻也好，空谈也好，总之是改变。我知道我是物质的间谍，而不是奴隶。

如果没有名分可以证实自己，谁会听我水晶般的倾诉？如果没有宁静来炼字，谁能不说我在词藻上庸俗地飘浮，一无所成？如果没有拒绝，我如何享用来之不易的刺激？如果没有荒诞，哪里有现实？没有疯狂，哪里有城市？而当世界变成绞索，怎样的金碧辉煌才能做它的一枚戒指，把我这吟唱的无名指渐渐收紧？

我环顾天穹，寻找一个准确的时刻，站在阳光广场正中。那时白云和乌云都金边璀璨，熏风烂漫。我要让一阵狂乱的感应穿透我躯体，从头到脚潺潺流过。巨大的美丽让我心悦诚服，我答应做你的又一个祭品。我知道此刻有许多人正在进行同样的仪式。我要爱上每一个人，尤其是女人。我要用放荡来洗刷我血管上的皱纹，用享乐来拉扯神经，制造千金难买的激情。我还要在颤抖中找回抗衡诱惑的美妙方式，那就是和它融为一体。

事实上，阳光广场只是一个普通地方。非常普通，以至于无限夸张它的体积，它也只是微笑不语。宫殿的气质只在深夜显现。七彩霓虹打在墙根，广场变成一整块透明的蓝绿宝石，艳光四射，照亮被它挖去的半个天空。而现在是正午，城市很脏，人群在兴奋地忙碌。雪白手套的侍者原来只是穿着脏污白衬衫的售楼小厮，正追逐着一群老外，声嘶力竭地游说；金色花冠的玫瑰仕女马上就要被夕阳摘走所有的免费装饰，瞬间还原成可怜的卖花少女。她的嘴唇在歙动，哭声却被辽阔的阴影吞噬。一个浪荡的气球飞过来，有人大声催促着什么。我走上前，想买下那些枯萎廉价的花瓣，突然发现四周扑来敌意的目光，我抬起头，往眼里填充好阳光般的善变和冷漠。

马缨花开的时候

郁达夫

约莫到了夜半，觉得怎么也睡不着觉，于起来小便之后，放下玻璃溺器，就顺便走上了向南开着的窗口。把窗帷牵了一牵，低身钻了进去，上半身就像是三明治里的火腿，被夹在玻璃与窗帷的中间。

窗外面是二十边的还不十分大缺的下弦月夜，园里的树梢上，隙地上，白色线样的柏油步道上，都洒满了银粉似的月光，在和半透明的黑影互相掩映。周围只是沉寂、清幽，正像是梦里的世界。首夏的节季，按理是应该有点热了，但从毛绒睡衣的织缝眼里侵袭进来的室中空气，尖淋淋还有些儿凉冷的春意。

这儿是法国天主教会所办的慈善医院的特等病房楼，当今天早晨进院来的时候，那个粗暴的青年法国医生，糊糊涂涂地谛听了一遍之后，一直到晚上，还没有回话。只傍晚的时候，那位戴白帽子的牧母来了一次。问她这病究竟是什么病？她也只微笑摇着头，说要问过主任医生，才能知道。

而现在却已经是深沉的午夜了，这些吃慈善饭的人，实在也太没有良心，太不负责任，太没有对众生的同类爱。幸而这病，还是轻的，假若是重病呢？这么的一搁，搁起十几个钟头，难道起死回生的耶稣奇迹，果真的还能在现代的二十世纪里再出来的么？

心里头这样在恨着急着，我以前额部抵住了凉阴阴的玻璃窗面，双眼尽在向窗外花园内的朦胧月色，和暗淡花荫，作无心的观赏。立了几分钟，怨了几分钟，在心里学着罗兰夫人的那句名句，叫着哭着："慈善呀慈善！在你这令名之下，真不知害死了多少无为的牺牲者，养肥了多少卑劣的圣贤人！"

直等怨恨到了极点的时候，忽而抬起头来一看，在微明的远处，在一堆树影的高头，金光一闪，突然间却看出了一个金色的十字架来。

"啊吓不对，圣母马利亚在显灵了！"

心里这样一转，自然而然地毛发也竖起了尖端。再仔细一望，那个金色十字架，还在月光里闪烁着，动也不动一动。注视了一会，我也有点怕起来了，就逃也似地将目光移向了别处。可是到了这逃避之所的一堆黑树荫中逗留得不久，在这黑沉沉的背景里，又突然显出了许多上尖下阔的白茫茫同心儿一样，比蜡烛稍短的不吉利的白色物体来。一朵两朵，七朵八朵，一眼望去，虽不十分多，但也并不少，这大约总是开残未谢的木兰花罢，为想自己宽一宽自己的心，这样以最善的方法解释着这一种白色的幻影，我就把身体一缩，退回自己床上来了。

进院后第二天的午前十点多钟，那位含着神秘的微笑的牧母又静静儿同游水似地来到了我的床边。

“医生说你害的是黄疸病，应该食淡才行。”

柔和地这样的说着，她又伸出手来为我诊脉。她以一只手捏住了我的臂，擎起另外一只手，在看她自己臂上的表。我一言不发，只是张大了眼在打量她的全身上下的奇异的线和色。

头上是由七八根直线和斜色线叠成的一顶雪也似的麻纱白帽子，白影下就是一张肉色微红的柔嫩得同米粉似的脸。因为是睡在那里的缘故，我所看得出来的，只是半张同《神曲》封面画上，印在那里的谭戴似的鼻梁很高的侧面形。而那只瞳仁很大很黑的眼睛里，却又同在做梦似地向下斜俯着的。足以打破这沉沉的梦影，和静静的周围的两种刺激，便是她生在眼睑上眼睛上的那些很长很黑，虽不十分粗，但却也一根一根地明细分视得出来的眼睫毛和八字眉，与唧唧唧唧，只在她那只肥白的手臂上静走的表针声。她静寂地俯着头，按着我的臂，有时候也眨着眼睛，胸口头很细很细的一低一高地吐着气，真不知道听了我几多时的脉，忽而将身体一侧，又微笑着正向着我显示起全面来了，面形是一张中突而长圆的鹅蛋脸。

“你的脉并不快，大约养几天，总马上会好的。”

她的富有着抑扬风韵的话，却是纯粹的北京音。

“是会好的么？不会死的么？”

“啐，您说哪儿的话？”

似乎是嫌我说得太粗暴了，嫣然地一笑，她就立刻静肃敏捷地走转了身，走出了房。而那个“啐，你说哪儿的话？”的余音，却同大钟鸣后，不肯立时静息般的尽在我的脑里耳嗡嗡地跑着绕圈儿的马。

医生隔日一来，而苦里带咸的药，一天却要吞服四遍，但足与这些恨事相抵而有余的，倒是那牧母的静肃的降临，有几天她来的次数，竟会比服药的次数多一两回。像这样单调无聊的修道院似的病囚生活，不消说是谁也会感到厌腻的，我于住了一礼拜医院之后，率性连医生也不愿他来，药也不想再服了，可是那牧母的诊脉哩，我却只希望她从早到晨起就来替我诊视，一直到晚，不要离开。

起初她来的时候，只不过是含着微笑，量量热度，诊诊我的脉，和说几句不得不说的话而已。但后来有一天在我的枕头底下被她搜出了一册泥而宋版的Baudelaire的小册子后，她和我说的话也多了起来，在我床边逗留的时间也一次一次地长起来了。

她告诉了我Soeurs de charite（白帽子会）的系统和义务，她也告诉了我罗曼加多力克教（Catechisme）的教义总纲领。她说她的哥哥曾经去罗马朝见过教皇，她说她的信心坚定是在十五年前的十四岁的时候。而她的所最对我表示同情的一点，似乎是因为我的老家的远处在北京，“一个人单身病倒了在这举目无亲的上海，哪能够不感到异样的孤凄与寂寞呢？”尤其是觉得巧合的，两人在谈话的中间，竟发现了两人的老家，都偏处在西城，相去不上二三百步路远，在两家的院子里，是都可以听得见北堂的晨钟暮鼓的。为有这种种的关系，我入院后经过了一礼拜的时候，觉得忌淡也没有什么苦处了，因为每次的膳事，她总叫厨子特别地为我留心，布丁上的奶油也特别地加得多，有几次并且为了医院内的定食不合我的胃口，她竟爱把她自己的几盆我可以吃的菜蔬，差男护士菲列浦一盆一盆地递送过来，来和我的交换。

像这样的在病院里住了半个多月，虽则医生的粗暴顽迷，仍旧改不过来，药味的酸咸带苦，仍旧是格格难吃，但小便中的绛黄色，却也渐渐地褪去，而柔软无力的两只脚，也能够走得动一里以上的路了。

又加以时节逼近中夏，日长的午后，火热的太阳偏西一点，在房间里闷坐不住，当晚祷之前，她也常肯来和我向楼下的花园里去散一回小步。两人从庭前走出，沿了葡萄架的甬道走过木兰花丛，穿入菩提树林，到前面的假山石旁，有金色十字架竖着的圣母像的石坛圈里，总要在长椅上，坐到晚祷的时候，才走回来。

这舒徐闲适的半小时的晚步，起初不过是隔两日一次或隔日一次的，后来竟成了习惯，变得日日非去走不行了。这在我当然是一种无上的慰藉，可以打破一整天的单调生活，而终日忙碌的她似乎也在对这漫步，感受着无穷的兴趣。

又经过了一星期的光景，天气更加热起来了。园里的各种花木，都已经开落得干干净净，只有墙角上的一丛灌木，大约是蔷薇罢，还剩着几朵红白的残花，在那里装点着景色。去盛夏想也已不远，而我也在打算退出这医药费昂贵的慈善医院，转回到北京去过夏去。可是心里虽则在这么地打算，但一则究竟病还没有痊愈，而二则对于这周围的花木，对于这半月余的生活情趣，也觉得有点依依难舍，所以一天一天地捱捱，又过了几天无聊的病囚日子。

有一天午后，正当前两天的大雨之余，天气爽朗晴和得特别可爱，我在病室里踱来踱去，心里头感觉得异样的焦闷。大约在铁笼子里徘徊着的新被擒获的狮子，或可以想象得出我此时的心境来，因为那一天从早晨起，一直到将近晚祷的时候止，一整日中，牧母还不曾来过。

晚步的时间过去了，电灯点上了，直到送晚餐来的时候，菲列浦才从他的那件白衣袋里，摸出了一封信来，这不消说是牧母托他转交的信。

信里说，她今天上中央会堂去避静去了，休息些时，她将要离开上海，被调到香港的病院中去服务。若来面别，难免得不动伤感，所以相见不如不见。末后再三叮嘱着，教我好好地保养，静想想经传上圣人的生活。若我能因这次的染病，而归依上帝，浴圣母的慈恩，那她的喜悦就没有比此更大的了。

我读了这一封信后，夜饭当然是一瓢也没有下咽。在电灯下呆坐了数十分钟，站将起来向窗外面一看，明蓝的天空里，却早已经升上了一个银盆似的月亮。大约不是十五六，也该是十三四的晚上了。

我在窗前又呆立了一会，旋转身就披上了一件新制的法兰绒的长衫，拿起了手杖，慢慢地，慢慢地，走下了楼梯，走出了楼门，走上了那条我们两人日日在晚祷时候走熟了的葡萄甬道。一程一程地走去，月光就在我的身上印出了许多树枝和叠石的影画。到了那圣母像的石坛之内，我在那张两人坐熟了的长椅子上，不知独坐了多少时候。忽而来了一阵微风，我偶然间却闻着了一种极清幽，极淡漠的似花又似叶的朦胧的香气。稍稍移了一移搁在支着手杖的两只手背上的头部，向右肩瞟了一眼，在我自己的衣服上，却又看出了一排非常纤匀的对称树叶的叶影，和几朵花蕊细长花瓣稀薄的花影来。

“啊啊！马缨花开了！”

毫不自觉地从嘴里轻轻念出了这一句独语之后，我就从长椅子上站起了身来，走回了病舍。

时光是用来怀念的

鲁迅

一

我早已想写一点文字，来纪念几个青年的作家。这并非为了别的，只因为两年以来，悲愤总时时来袭击我的心，至今没有停止，我很想借此算是竦身一摇，将悲哀摆脱，给自己轻松一下，照直说，就是我倒要将他们忘却了。

两年前的此时，即一九三一年的二月七日夜或八日晨，是我们的五个青年作家同时遇害的时候。当时上海的报章都不敢载这件事，或者也许是不愿，或不屑载这件事，只在《文艺新闻》上有一点隐约其辞的文章。那第十一期（五月二十五日）里，有一篇林莽先生作的《白莽印象记》，中间说：

“他做了好些诗，又译过匈牙利和诗人彼得斐〔5〕的几首诗，当时的《奔流》的编辑者鲁迅接到了他的投稿，便来信要和他会面，但他却是不愿见名人的人，结果是鲁迅自己跑来找他，竭力鼓励他作文学的工作，但他终于不能坐在亭子间里写，又去跑他的路了。不久，他又一次的被了捕。……”

这里所说的我们的事情其实是不确的。白莽并没有这么高慢，他曾经到过我的寓所来，但也不是因为我要求和他会面；我也没有这么高慢，对于一位素不相识的投稿者，会轻率地写信去叫他。我们相见的原因很平常，那时他所投的是从德文译出的《彼得斐传》，我就发信去讨原文，原文是载在诗集前面的，邮寄不便，他就亲自送来了。看去是一个二十多岁的青年，面貌很端正，颜色是黑黑的，当时的谈话我已经忘却，只记得他自说姓徐，象山人；我问他为什么代你收信的女士是这么一个怪名字（怎么怪法，现在也忘却了），他说她就喜欢起得这么怪，罗曼蒂克，自己也有些和她不大对劲了。就只剩了这一点。

夜里，我将译文和原文粗粗地对了一遍，知道除几处误译之外，还有一个故意的曲译。他像是不喜欢“国民诗人”这个字的，都改成“民众诗人”了。第二天又接到他一封来信，说很悔和我相见，他的话多，我的话少，又冷，好像受了一种威压似的。我便写一封回信去解释，说初次相会，说话不多，也是人之常情，并且告诉他不应该由自己的爱憎，将原文改变。因为他的原书留在我这里了，就将我所藏的两本集子送给他，问他可能再译几首诗，以供读者的参看。他果然译了几首，自己拿来了，我们就谈得比第一回多一些。这传和诗，后来就都登在《奔流》第二卷第五本，即最末的一本里。

我们第三次相见，我记得是在一个热天。有人打门了，我去开门时，来的就是白莽，却穿着一件厚棉袍，汗流满面，彼此都不禁失笑。这时他才告诉我他是一个革命者，刚由被捕而释出，衣服和书籍全被没收了，连我送他的那两本；身上的袍子是从朋友那里借来的，没有夹衫，而必须穿长衣，所以只好这么出汗。我想，这大约就是林莽先生说的“又一次的被了捕”的那一次了。

我很欣幸他的得释，就赶紧付给稿费，使他可以买一件夹衫，但一面又很为我的那两本书痛惜：落在捕房的手里，真是明珠投暗了。那两本书，原是极平常的，一本散文，一本诗集，据德文译者说，这是他搜集起来的，虽在匈牙利本国，也还没有这么完全的本子，然而印在《莱克朗氏万有文库》（Reclam's Universal-Bibliothek）中，倘在德国，就随处可得，也值不到一元钱。不过在我是一种宝贝，因为这是三十年前，正当我热爱彼得斐的时候，特地托丸善书店从德国去买来的，那时还恐怕因为书极便宜，店员不肯经手，开口时非常惴惴。后来大抵带在身边，只是情随事迁，已没有翻译的意思了，这回便决计送给这也如我的那时一样，热爱彼得斐的诗的青年，算是给它寻得了一个好着落。所以还郑重其事，托柔石亲自送去的。谁料竟会落在“三道头”之类的手里的呢，这岂不冤枉！

二

我的决不邀投稿者相见，其实也并不完全因为谦虚，其中含着省事的分子也不少。由于历来的经验，我知道青年们，尤其是文学青年们，十之九是感觉很敏，自尊心也很旺盛的，一不小心，极容易得到误解，所以倒是故意回避的时候多。见面尚且怕，更不必说敢有托付了。但那时我在上海，也有一个惟一的不但敢于随便谈笑，而且还敢于托他办点私事的人，那就是送书去给白莽的柔石。

我和柔石最初的相见，不知道是何时，在哪里。他仿佛说过，曾在北京听过我的讲义，那么，当在八九年之前了。我也忘记了在上海怎么来往起来，总之，他那时住在景云里，离我的寓所不过四五家门面，不知怎么一来，就来往起来了。大约最初的一回他就告诉我是姓赵，名平复。但他又曾谈起他家乡的豪绅的气焰之盛，说是有一个绅士，以为他的名字好，要给儿子用，叫他不要用这名字了。所以我疑心他的原名是“平福”，平稳而有福，才正中乡绅的意，对于“复”字却未必有这么热心。他的家乡，是台州的宁海，这只要一看他那台州式的硬气就知道，而且颇有点迂，有时会令我忽而想到方孝孺，觉得好像也有些这模样的。

他躲在寓里弄文学，也创作，也翻译，我们往来了许多日，说得投合起来了，于是另外约定了几个同意的青年，设立朝华社。目的是在介绍东欧和北欧的文学，输入外国的版画，因为我们都以为应该来扶植一点刚健质朴的文艺。接着就印《朝花旬刊》，印《近代世界短篇小说集》，印《艺苑朝华》，算都在循着这条线，只有其中的一本《拾谷虹儿画选》，是为了扫荡上海滩上的“艺术家”，即戳穿叶灵凤这纸老虎而印的。

然而柔石自己没有钱，他借了二百多块钱来做印本。除买纸之外，大部分的稿子和杂务都是归他做，如跑印刷局、制图、校字之类。可是往往不如意，说起来皱着眉头。看他旧作品，都很有悲观的气息，但实际上并不然，他相信人们是好的。我有时谈到人会怎样地骗人，怎样地卖友，怎样的吮血，他就前额亮晶晶的，惊疑地圆睁了近视的眼睛，抗议道，“会这样的么？——不至于此罢？……”

不过朝花社不久就倒闭了，我也不想说清其中的原因，总之是柔石的理想的头，先碰了一个大钉子，力气固然白化，此外还得去借一百块钱来付纸账。后来他对于我那“人心惟危”说的怀疑减少了，有时也叹息道，“真会这样的么？……”但是，他仍然相信人们是好的。

他于是一面将自己所应得的朝花社的残书送到明日书店和光华书局去，希望还能够收回几文钱，一面就拼命地译书，准备还借款，这就是卖给商务印书馆的《丹麦短篇小说集》和戈理基作的长篇小说《阿尔泰莫诺夫之事业》。但我想，这些译稿，也许去年已被兵火烧掉了。